Nous les garçons

Le guide des préados

Nous les garçons

Textes d'Olivier Lhote
avec la collaboration de Séverine Clochard
Illustrations de Magali Fournier
et Yann Hamonic
Mascotte de François Berthemet

MILAN
jeunesse

À mon tout petit garçon, euh… Pardon, mon GRAND préado,
Antoine et sa bande de superpotes, Fabien, Hugo et Yoann.
Et à Martis, petit gars plein de courage, Pierre et Thomas.
O. L.

Sommaire

Salut !

Moi, c'est Robopote. Tu ne me connais pas ? Normal, je suis la dernière création du bureau des ingénieurs : une merveille de programmation spécialisée dans l'étude des garçons de 9 à 15 ans. Imagine, j'ai une mémoire pleine à craquer d'informations, de témoignages, de trucs et d'astuces. Pour qui, pour quoi ? Pour toi, mon copain. Parce que tu rentres dans la préadolescence et que tu te poses peut-être une multitude de questions sur ton corps et ta personnalité qui changent, les filles, ta place dans la famille ou encore l'entrée au collège et même tes loisirs.

Je suis paramétré pour te guider et t'apporter des réponses. Les miennes, à travers mes RoboSpots et mes soluces, mais aussi celles que tu découvriras en faisant des tests amusants. Tu trouveras également des tas de témoignages de copains de ton âge qui ont bien voulu répondre à mes questions et enregistrer leur expérience. Et, quand les sujets étaient compliqués, accompagné de ma fidèle amie P'tite Bulle, j'ai interviewé des experts : dermatologue, profs de collège, psychologues, médecins… qui ont été ravis de donner des conseils. Alors n'hésite pas, plonge dans ma mémoire et feuillette les fichiers dans n'importe quel ordre, selon les thèmes qui t'intéressent. J'espère que mes informations et mes conseils te seront bien utiles !

Bonne lecture !

Comment utiliser ce livre?

7 chapitres, chacun consacré à un thème précis, pour aborder tous les sujets qui te concernent.

4 types de pages :

Soluces de Robopote ✳ : mes trucs et astuces et ceux des copains pour faire face à toutes les situations.

Fichier pratique ✳ : les choses essentielles et utiles à connaître sur un sujet.

Robotest ✳ : un jeu de questions-réponses pour apprendre à mieux te connaître.

S.O.S. Robopote ✳ : tu rencontres un problème ? Compte sur moi, j'ai des solutions.

Et aussi...

VO par : les témoignages et les astuces de copains de ton âge.

RoboSpot : pour t'apporter des infos utiles complémentaires.

Avis d'expert : des conseils de pros pour mieux comprendre ce qui t'arrive.

Enfin, pour mieux t'y retrouver :

si tu cherches un sujet précis, rendez-vous à la page Index à la fin du livre.

Apprivoise ton corps

Tu grandis et ton corps se transforme pour devenir celui d'un homme.
C'est une bonne nouvelle, mais ces changements t'intriguent
et tu te poses des tas de questions.
Pourquoi ta voix change-t-elle et déraille-t-elle quelquefois ?
Comment s'expliquent les poils qui apparaissent sur ton corps ?
Pourquoi transpires-tu sous les bras et as-tu les cheveux gras ?
Ne t'inquiète pas plus longtemps,
je vais t'expliquer les raisons de ces bouleversements.

Prêt ? Allons-y !

Tu te reconnais ?

© Certains jours, tout le monde te tape sur le système sans raison.

© Tu fais une tête de plus que tes copains.

© Tu as des poils sous les bras et autour du sexe.

© La nuit, tu fais quelquefois des rêves érotiques.

© Tu trouves ton sexe trop petit.

© Tu transpires bien plus qu'avant.

© Tu te réveilles avec des traces dans tes draps.

© Des boutons te poussent sur le front.

© Par moments, tu as le moral dans les baskets.

© Tu te sens incompris de tes parents.

© Tu te caresses le sexe parfois.

© Tu as honte de pleurer.

© Tu as l'impression de ne rien comprendre aux filles.

© Tes cheveux sont toujours gras.

© Tu constates un début de moustache.

© Tu as des pellicules sur les épaules.

© Les filles t'attirent, mais tu joues toujours aux petites voitures.

© Tu penses que tu n'es pas assez musclé.

Au moins 3 de ces affirmations te concernent ?

Aucun doute, tu es en pleine puberté.

Lis ce chapitre pour comprendre ce qui t'arrive.

Bienvenue chez les préados

Il y a des signes qui ne trompent pas, comme le duvet qui te pousse sous le nez ou ta voix qui déraille.

Ça y est, tu quittes le monde de l'enfance et tu es en route pour celui des adultes. Première étape : la préadolescence.

Tu sens bien que tu n'es plus un petit garçon et surtout, tu vois ton corps se transformer et ton comportement changer. Pas de panique. Tout ceci est normal. Durant cette phase que l'on appelle la puberté, ton moral ne sera peut-être pas toujours au beau fixe et tu vas te poser de nombreuses questions.

Heureusement, l'ADOrable robot que je suis va t'aider à franchir ce cap en répondant à toutes tes interrogations. Et tu verras que la puberté n'est pas si terrible que cela : c'est avant tout une période à la fois excitante et troublante pendant laquelle tu vas t'affirmer.

Tu vas petit à petit prendre conscience de l'avenir et de ce que pourrait être ta vie future. Lentement, tu vas t'habituer à ton « nouveau » corps. Ton désir sexuel va s'éveiller de plus en plus et tes rapports aux autres, garçons ou filles, vont changer. Devenir un homme, c'est un peu tout ça en même temps.
Mais je suis sûr que tu vas faire face à ces changements sans problèmes.

Puberté, quèsaco?

Pendant les 4 prochaines années, tu vas te métamorphoser.

Voici ce qui t'attend vraiment !

Mission transformation

Rassure-toi, tu ne te métamorphoseras pas en voiture blindée. Mais tu peux t'attendre à des changements à la préadolescence :

◆ Une moustache duvetée apparaît.
◆ Le système pileux (les poils) se développe sous les bras et autour du sexe.
◆ Des boutons surgissent sur ton visage.
◆ Les cheveux sont plus gras qu'avant.
◆ La voix devient plus grave et déraille.
◆ Les épaules et la poitrine s'élargissent.
◆ Le sexe grandit ainsi que les testicules.
◆ La masse musculaire s'accroît.
◆ Le cœur et les poumons gagnent en capacité.

Un cœur grand comme ça

Durant la puberté, tes capacités cardiaques et respiratoires vont augmenter. Aide ton corps en faisant du sport. À ton âge, l'idéal est de pratiquer une activité d'endurance : cours, nage ou fais du vélo, le plus longtemps possible mais sans forcer : tu encourageras tes poumons à s'ouvrir pour accueillir un maximum d'oxygène. Évite les sports violents comme le squash qui sollicitent beaucoup trop le cœur.

> À la gym, on se moquait de moi parce que je n'ai toujours pas de poils. Alors j'ai rapporté des photos de culturistes pour montrer qu'on pouvait être un homme, supermusclé, sans pour autant être poilu. Les gars de ma classe, ça les a scotchés.
>
> **Joël, 12 ans**

Pourquoi fais-tu la grosse voix ?

Jusqu'à présent, ta voix était celle d'un enfant, donc plutôt pointue. Mais à mesure que tu grandis, le « larynx », où se trouvent tes cordes vocales, se développe. Et celles-ci s'épaississent à leur tour. Il suffit de regarder une guitare pour comprendre que les cordes fines vibrent vite et dans une tonalité aiguë, alors que les cordes plus larges vibrent doucement et donnent un son grave. Il se passe la même chose pour ta voix.

Le déroulement des opérations

*Chacun son rythme,
c'est la nature qui décide.*

La puberté s'étale en général sur 4 ans
Tous les changements ne surviennent pas
en même temps. Les filles grandissent plus
vite que les garçons en général et sont
souvent mûres plus tôt. Tandis que les filles
vont voir leurs hanches s'élargir et leur
poitrine pousser, les épaules des garçons
et leur sexe se développent. L'un comme
l'autre vont, pour la plupart, connaître
l'acné et une transpiration plus forte.
Quant aux poils, ils poussent d'abord
autour du sexe, puis sous les bras, sur
le visage et plus tard sur le torse. Certains
garçons grandissent lentement et d'autres
très vite, en 1 an parfois. C'est ton cerveau
qui donne aux glandes l'ordre de produire
les hormones responsables
de la grande métamorphose.

Autrefois, le mot « puberté »
désignait les jeunes hommes en âge
de faire la guerre, d'avoir des enfants
et de participer à la vie publique.
Cela correspondait à l'âge où poussent
les poils. D'ailleurs puberté vient de *pubes*
qui veut dire « poil » en latin.
La puberté est le stade de transformation
de l'enfant en homme. C'est à cette
période que les hormones
se réveillent.

Passage obligatoire
La puberté, tout le monde y a droit.
Ton entourage a rencontré les mêmes
soucis et les mêmes joies que toi. Tu n'es
donc pas seul face à ces changements.
Parles-en avec tes parents ou des adultes
de confiance. Ils seront heureux que tu
abordes le sujet qui peut parfois les gêner.

**Il te faudra un peu de temps pour
apprivoiser ton nouveau corps**
Tu risques de te trouver parfois maladroit.
C'est normal, tout va rentrer dans l'ordre.
En sport, dans les vestiaires, tu connaîtras
peut-être les moqueries ou les jeux
stupides du type : qui a le plus de poils
ou le sexe le plus grand ? Ne rentre pas
dans ces comparaisons qui n'apportent
rien. Chacun vit la puberté à son rythme
et tes copains et toi deviendrez tous des
hommes dans quelques années.

La préadolescence au poil

Mais à quoi peuvent bien servir tous ces poils ?

Cela dépend du type de poil. Ceux de la tête protègent le crâne de coups éventuels. Une perruque pare-chocs en quelque sorte. Les sourcils dévient la sueur au-delà des yeux. Les cils repoussent les poussières. Les poils des aisselles et du pubis diffusent les phéromones, signaux chimiques, vers le sexe opposé. De quoi ameuter plein de copines ! Les poils des aisselles évitent aussi les frottements entre le torse et les bras.

Le réveil des hormones

Puisque les poils des aisselles et du pubis jouent un rôle sexuel, il est normal qu'ils commencent seulement à pousser à la préadolescence. Ton cerveau envoie des messages à des glandes dites androgènes qui vont fabriquer les hormones mâles et encourager la naissance des poils.

Au fait, c'est quoi un poil ?

Cheveux, poils, cils, c'est toujours la même chose : un petit sac (follicule) dans la peau d'où sort une fibre visible. Sous l'effet des hormones mâles, le duvet qui recouvre ta peau laisse place à des poils. Selon ton bagage génétique, tu en auras plus ou moins, mais ceux qui vont pousser vont s'épaissir et foncer dans les années à venir.

Les filles ont-elles des poils ?

Oui, 5 millions de poils, tout comme toi. Et je ne parle pas de la femme à barbe mais bien des filles de ta classe. Ce n'est pas parce qu'on ne les voit pas qu'ils ne sont pas présents. Certains d'entre eux sont tout de même visibles, un peu trop au goût de tes copines d'ailleurs, et elles ne vont pas tarder à découvrir l'épilation. Quant à la moustache, lorsque la tienne poussera sérieusement, certaines filles verront apparaître un duvet au même endroit.

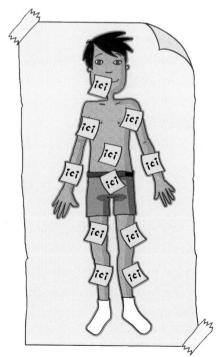

Puberté, poil au nez!

Chouette, ta moustache pousse enfin!

Sais-tu quel rasoir te convient le mieux, mécanique ou électrique?

1. Le matin, pour te préparer, il te faut :
(A) 5 minutes, pipi compris.
(B) 2 heures dont 50 minutes dans la baignoire.

2. Ta peau est douce comme...
(A) Des fesses de bébé.
(B) Une biscotte.

3. La vue du sang...
(B) Te fait tomber dans les pommes.
(A) Te laisse indifférent.

4. Un blaireau c'est :
(B) Un garçon pas très malin comme Aurélien.
(A) Un ustensile pour étaler la mousse.

5. Pour vivre avec son temps, il faut se laver les dents...
(B) Avec une brosse électrique.
(A) Avec une brosse quelconque mais 3 fois par jour.

As-tu une majorité de A ou de B ?

+ de (A) :

Le rasoir mécanique, jetable ou non, est fait pour toi. Il rase vite et irrite peu la peau. Tant pis si tu risques la coupure, il est tellement pratique.

+ de (B) :

Le rasoir électrique, plus sécurisant, semble te convenir. Pas de coupure en vue. En revanche, pour un rasage net, compte un peu de temps.

Je ne sais pas quel rasoir choisir

En matière de rasoirs, tu as l'embarras du choix.
Voici comment te guider dans tes achats.

Ton arrière-grand-père utilisait sûrement un blaireau
(touffe de poils au bout d'un manche permettant
de faire mousser le savon à barbe au fond d'un bol
puis sur le visage). Son rasoir (parfois appelé
« coupe-choux ») était une grande lame, comme dans
les westerns. Se raser avec ce genre d'instrument
demandait de l'entraînement. D'ailleurs, les hommes
se rendaient souvent chez le barbier pour se faire raser.

Ce métier existe encore dans certains pays comme
l'Inde ou la Grèce. Sais-tu qu'en Grèce, les jeunes
barbiers s'exercent d'abord sur des ballons
de baudruche couverts de mousse ? Ils doivent enlever
la mousse sans faire éclater le ballon gonflable.

> Dans ma famille,
> tous les hommes portent
> la moustache, mon père,
> mes oncles, et même mon
> frère. Alors pas question
> de me raser quand j'en
> aurai une. Je crois que c'est
> pour bientôt, ça me gratte
> sous le nez.
>
> **Ismaël, 13 ans**

Le budget

Il existe des rasoirs pour toutes les bourses.
Les rasoirs jetables à 1 lame ne sont vraiment pas
chers et conviennent parfaitement à un poil souple.
Mais tu trouveras également des rasoirs électriques
à des prix très abordables. Ils fonctionnent le plus
souvent avec des piles et proposent des performances
faibles mais suffisantes pour une jeune moustache.
Ensuite, les prix s'envolent, surtout chez
les électriques qui offrent des fonctions élaborées
comme le nettoyage automatique de la tête.
Oh ! là, là ! de vrais petits robots ces machines !

Zoom sur les rasoirs

✪ **Le rasoir électrique est sécurisant.** Tu ne te couperas pas en l'utilisant. Une grille a été placée devant les lames pour protéger la joue et relever un peu le poil avant la coupe. Le nettoyage de la tête est un peu ennuyeux. Il faut ôter la grille pour souffler sur les poils. Pense également à la désinfecter avec un coton et de l'alcool pour éviter les boutons.

✪ **Le rasoir mécanique à usage unique ne nécessite aucun entretien.** La lame est toujours propre. Attention aux coupures : il faudra faire doucement au début. La lame de ces rasoirs s'émousse facilement, il est donc conseillé de ne s'en servir qu'une fois.

✪ **Le rasoir mécanique à lames jetables existe aussi.** Certaines lames disposent d'une bande lubrifiante pour épargner ta peau. Les lames sont de bonne qualité et sont réutilisables plusieurs fois. Mais pense à les nettoyer en les rinçant à l'eau bien chaude après chaque rasage.

J'étais pressé d'avoir une moustache et quand j'ai constaté les premiers poils, j'ai sauté de joie. Pour mon anniversaire, j'ai eu un rasoir à piles. Je l'emporte quand je vais dormir chez les copains. C'est classe de se raser le matin chez les potes.

Jean-François, 17 ans

LE I-SHAVE EXISTE
Les robots ne se rasent pas, ce n'est pas un scoop, mais les accros de l'ordi, eux, vont pouvoir se couper le poil sans quitter l'écran. Eh oui, le i-shave existe. En tapant « rasoir usb » sur un moteur de recherche, tu trouveras des sites et des informations sur ce drôle de rasoir qui se branche en USB comme une imprimante ou un appareil photo. Ah, j'oubliais : procure-toi une webcam pour te regarder en te rasant, c'est encore mieux.

Rasage, le coup de main de Robopote

Tu as ton rasoir bien en main ?
Voici quelques conseils pour un rasage impeccable.

Tu as choisi le rasoir jetable ?

Tu trouveras au rayon cosmétique des bombes de mousse ou de gel pour tous les types de barbes et de peaux. Avant le rasage, mouille ton visage à l'eau tiède puis recouvre les poils de mousse et laisse agir 1 minute. La mousse va détendre ta peau et redresser les poils. Elle permet également à la lame de glisser facilement. Rase-toi de haut en bas pour commencer et sans trop appuyer sur le rasoir. Pour un rasage vraiment fin, tu peux remonter la lame dans l'autre sens, mais tu risques d'échauffer ta peau et de faire naître des boutons. C'est ce que l'on appelle le feu du rasoir. Rince tes joues à l'eau froide pour refermer les pores de ta peau.

Côté électrique, tout est différent

Ta peau doit être bien sèche. Évite même la douche avant le rasage. Il existe des lotions avant rasage électrique. Elles huilent la peau et offrent une glisse parfaite de la grille. Si ton rasoir possède des grilles rondes, rase-toi par mouvements circulaires de l'extérieur vers l'intérieur du visage. En n'insistant pas trop sur les mêmes endroits.

Soins de la peau : pas que pour les filles

Quel que soit ton choix de rasoir, les lames irritent toujours un peu la peau. Pour atténuer ce feu, achète un après-rasage sans alcool qui évitera d'aggraver les rougeurs. Tu peux ensuite nourrir la peau de ton visage avec une crème hydratante qui la protégera aussi du vent et du froid. Être un homme aujourd'hui, c'est aussi prendre soin de sa peau. Il existe d'ailleurs des lignes de cosmétiques réservées aux hommes. Personnellement, j'apprécie la crème nourrissante sur ma carrosserie, surtout celle à la cire d'abeille.

Faut-il être poilu pour être un homme ?

Ce qui fera de toi un homme, ce n'est pas ton allure physique ni le fait que tu aies des poils ou que tu n'en aies pas, mais ton comportement, tes prises de responsabilités dans la vie. Rien à voir donc avec les poils.

Contrôle de peau lisse

Vrai ou faux?

Réponds sans tricher
et contrôle ton hygiène.

1. Se laver les dents 1 fois par jour est suffisant.

2. Toilette intime c'est le contraire de toilette en groupe.

3. Le « cérumen » (cire dans les oreilles) protège les tympans.

4. L'odeur de la sueur évite les piqûres de moustique.

5. Les chaussettes sales éloignent les bêtes sauvages.

6. Il est très important de se laver les mains après un passage aux toilettes.

7. 1 douche par mois au lieu de 30 peut sauver notre planète.

8. L'acné est signe d'intelligence.

Les réponses et les explications de Robopote

1. Faux. L'idéal serait 3 fois par jour et 2 fois est un minimum.

2. Faux. La toilette intime est celle de tes fesses et de ton sexe. Elle est très importante et doit être quotidienne.

3. Vrai. Pour cette raison, tu ne dois pas t'acharner avec un Coton-tige. Une toilette des oreilles à l'eau savonneuse est suffisante. Il existe également des sprays pour se débarrasser des bouchons.

4. Faux. En tout cas ce n'est pas prouvé, et ce n'est pas une raison pour ne pas se laver et faire une économie de déodorant.

5. Faux. Les chaussettes sales éloignent surtout les filles. Change tes chaussettes chaque jour. Lave tes pieds et sèche-les bien pour éviter les champignons.

6. Vrai. En ne te lavant pas les mains, tu pourrais attraper des maladies.

7. Faux. Il est bon d'économiser l'eau, mais une douche quotidienne est souhaitable. N'oublie pas que tu transpires plus maintenant.

8. Faux. L'acné est provoquée par une peau trop grasse. Cours t'acheter une lotion nettoyante sans craindre pour tes notes.

Pars en guerre contre les odeurs

D'où vient la transpiration et comment mettre une claque aux mauvaises odeurs ?

La transpiration est un système de refroidissement très efficace qui maintient la température de ton corps à 37°. C'est comme pour les moteurs, refroidissement à eau s'il vous plaît ! Dès que ton corps se réchauffe, sous l'action des glandes sudoripares, tu transpires de l'eau salée destinée à te rafraîchir. Jusqu'ici, il n'est pas question d'odeurs, mais quand la sueur se dégrade sous l'action des bactéries, tout se gâte...

> Je suis obligé de partager ma chambre avec ma sœur parce qu'on n'a pas beaucoup de place à la maison. Elle disait que je puais des pieds et c'est elle qui m'a acheté un talc contre la transpiration. Depuis, on s'entend mieux.
>
> **Michel, 11 ans**

Comment tomber les filles plutôt que les mouches ?

1. Se laver. La véritable arme est une toilette quotidienne des endroits confinés (les aisselles, les parties intimes et les pieds).

2. Sécher parfaitement ces endroits qui peuvent être le siège de vilaines mycoses ou de surinfections.

3. Employer des déodorants pour les aisselles et les pieds si nécessaire.

4. Porter des vêtements respirants et éviter les baskets tous les jours.

SAVONS ET DÉODORANTS, CONSEILS D'ACHAT
La plupart des produits sont testés en dermatologie et ne devraient pas te causer de soucis. Néanmoins, préfère des déodorants sans alcool moins agressifs. Le choix d'un stick ou d'un vaporisateur est une affaire de goût. Évite les aérosols si tu veux protéger la couche d'ozone. Et si tu veux vraiment jouer la carte écolo, essaie le plus naturel des déos : la pierre d'alun. Ce déo minéral ne tache pas, n'irrite pas la peau et protège pendant 24 heures. Quant aux savons, c'est la même chose. Un savon gras dit surgras est préférable aux savons parfumés ou colorés.

C'est l'horreur, j'ai des boutons

D'accord, un bouton sur le nez ou sur la joue, c'est un peu disgracieux. Mais la bonne nouvelle c'est que ce n'est pas grave. Le problème, avec les boutons, c'est qu'on se croit toujours défiguré même quand on en a qu'un. Si c'est vraiment le cas, tu peux toujours emprunter l'anticernes de ta mère. Logiquement ça atténue les cernes, mais ça cache aussi bien les boutons. Dans le cas d'une acné importante, consulte un dermatologue qui te prescrira un traitement adapté.

C'est vrai, l'acné est désespérante mais rassure-toi, il existe des traitements, même pour les acnés très importantes, qui évitent les cicatrices. Tu dois savoir que la cigarette, le stress, l'abus de soleil et certains médicaments renforcent l'acné. En revanche, contrairement aux idées reçues, un bon chocolat noir ou quelques charcuteries n'aggraveront pas tes boutons. Dans tous les cas, ne craque pas, il y a toujours une solution, surtout si tu es patient et sérieux avec ce qui te sera prescrit par ton dermatologue.

Jean-Charles Martin,
dermatologue

70 à 80 % des jeunes sont touchés par l'acné

Quand ta peau devient trop grasse à cause d'un excès de « sébum » (corps gras qui protège la peau), les impuretés sont emprisonnées et c'est le bouton assuré. L'acné touche aussi les peaux très sèches. Heureusement, il existe des solutions. Demande à tes parents de t'acheter une lotion nettoyante pour peaux jeunes et grasses ou sèches. Si tu ne souffres pas d'une acné trop importante, les résultats seront visibles.

Le point sur les boutons

Petits ou gros, il existe des boutons de toutes sortes, mais ceux liés à l'acné ne sont jamais contagieux. Ils n'apparaissent pas non plus parce que tu es sale. En revanche, il est important de te laver le visage matin et soir. Tes parents t'aideront à trouver en pharmacie un produit adapté à ta peau.

Prends soin de tes cheveux

Cheveux gras et pellicules empoisonnent ton existence ?
Ne te prends pas la tête, il existe des solutions.

Décidément, les glandes n'arrêtent jamais de travailler et, non contentes de graisser ton visage, elles huilent aussi ton cuir chevelu. Et comme un malheur ne vient jamais seul, quand tu te grattes la tête, de la neige tombe sur tes épaules…
D'où viennent ces pellicules ?
Il en existe plusieurs types : les sèches et les grasses. Ces dernières sont dues à un renouvellement trop rapide des cellules du cuir chevelu causé par un champignon, le « malassezia furfur ». D'autres facteurs engendrent des pellicules : le stress, la pollution ou encore la saison. L'hiver, par exemple, ta peau est plus sèche et ton cuir chevelu se détache un petit peu, formant les pellicules sèches. La solution pour lutter contre les paillettes de ta tête est simple : il faut se laver les cheveux plus souvent avec un shampooing adapté.

Choisis ton arme

Shampooing doux ou shampooing antipelliculaire ? Les deux ont leurs avantages et l'idéal est de les combiner. Le shampooing doux sera parfait pour dégraisser tes cheveux et leur apporter du brillant. Tu peux l'utiliser très souvent. Quant au second, il t'aidera à chasser les pellicules tous les 3 jours environ. Il s'attaque au champignon responsable et contrôle sa prolifération. En les utilisant régulièrement, tu retrouveras des cheveux et un cuir chevelu en pleine forme.

Les pellicules, ça ne me dérangeait pas trop. Mais à force ça commençait à me gratter là-haut. Ma mère m'a obligé à me laver les cheveux tous les matins. Je n'aime pas trop me laver, mais je reconnais que c'est quand même mieux maintenant.

Jérémy, 13 ans

Je vais porter un appareil

Des dents de travers, un palais trop étroit, une dent trop en avant ou trop en arrière… Cette fois-ci, tu n'y coupes pas, c'est la visite chez l'orthodontiste. Si tu as l'âge (environ 13 ans), ce spécialiste te posera peut-être un appareil. Tu vas avoir un sourire de robot, quelle chance ! Même les stars ont des appareils aujourd'hui. Tu vois que ce n'est vraiment pas la honte d'en porter.

Et si on faisait le point sur les idées qui circulent ?

Un appareil, c'est supervoyant

Ça dépend. Les bagues et les braquettes se voient, mais il existe aussi des braquettes transparentes et des élastiques en couleurs pour faire plus fun. Les appareils avec faux palais ne se voient presque pas mais font un peu zozoter. Enfin, certains appareils ne se portent que la nuit.

C'est vraiment embêtant

Surtout pour te laver les dents. Mais j'ai un truc pour toi : l'hydropulseur. On le trouve en supermarché. C'est un jet puissant qu'on balade sur les dents et adieu les saletés. Cela ne remplace pas le brossage, mais c'est drôlement efficace.

C'est douloureux

À la pose, tu ne vas rien sentir. Ensuite, le fil de fer va tirer un peu pour aligner tes dents mais c'est supportable. À chaque visite, environ toutes les 3 semaines, ton dentiste serrera le fil et tu sentiras à nouveau la tension. Comme disent les mamies : « Faut souffrir pour être beau ! »

Il faut le garder longtemps

Tu risques de le porter 2 ans. Compte également 1 an pour stabiliser le travail effectué. Mais si tu craques, pense au résultat à venir. Tu ne veux quand même pas avoir le sourire de Quasimodo ?

> Quand on m'a dit que j'allais porter un appareil, je ne savais pas comment l'annoncer à ma copine. En fait, elle en a eu un presque le même jour. Aujourd'hui, ça nous fait rire et je la trouve toujours aussi belle.
>
> **Arnold, 14 ans**

Et les filles dans tout ça ?

Les filles portent aussi des appareils et elles ne trouvent pas ça moche. Si une fille te trouve mignon et sympa, ce n'est pas un appareil qui la fera changer d'avis.

Pour un sourire de star

*Les dents aussi ont droit
au contrôle technique.*

2 visites par an
chez le dentiste

C'est l'idéal pour détecter les caries avant
qu'elles ne soient trop profondes. Et comme
il vaut mieux prévenir que guérir, une bonne
hygiène dentaire t'évitera sûrement la roulette.
Pendant que tu seras chez le dentiste, profites-en
pour le questionner sur la brosse à utiliser :
souple, dure, moyenne ? Si tu veux savoir, voici
quelques éléments.

LE PLUS FORT, C'EST LE FLUOR

Tu as entendu parler de la plaque
dentaire ? C'est une pellicule
collante faite de bactéries qui
s'accroche à l'émail. Les petites
« bêtes » se nourrissent de sucre
et de résidus d'aliments, puis
produisent de l'acide qui dissout
la surface de la dent.
C'est la déminéralisation.
Heureusement, le fluor est là pour
tuer les bactéries. En plus,
il favorise la minéralisation
et renforce l'émail.

**Quand tu achètes ta brosse à dent, aucune
hésitation à avoir, choisis les poils souples**

Est-ce que je nettoie ma carrosserie avec
une brosse métallique moi ? Non.
Alors, respecte l'émail de tes dents.
N'oublie pas que tu les as pour le restant
de ta vie. Quant aux dentifrices, à moins
de souffrir d'un problème de gencives,
ceux du commerce font l'affaire.
 Ils contiennent pour la plupart du fluor
 qui aide à lutter contre les caries.

Le bon geste

Il ne suffit pas d'avoir le bon matériel, encore faut-il s'en servir et comme il faut. Brosse-toi les dents matin et soir pendant 3 minutes. Si tu as la chance de rentrer chez toi le midi, lave-toi les dents après le repas. Pour dénicher les bactéries, brosse des gencives vers les dents. C'est le meilleur moyen de faire sortir les impuretés qui se nichent à cet endroit tout en préservant tes gencives.
Si tu respectes bien ces consignes et si tu ne manges pas trop de sucreries, tu devrais garder un sourire de star très longtemps.

Je mange une pomme tous les jours depuis que ma grand-mère m'a expliqué que ça renforçait les gencives.

Benjamin, 11 ans

Haleine de renard

Dans 70 % des cas, la mauvaise haleine est due à des dents mal soignées. Ce qui signifie qu'il suffit d'aller chez le dentiste pour régler le problème. Mais l'haleine fétide peut aussi être due à des problèmes digestifs, par exemple. Là encore, il faut consulter un médecin.

Mon père est dentiste et il regarde ma bouche tous les 6 mois. Si jamais il découvre une carie, elle est minuscule et je ne sens rien quand il la soigne. Fais pareil, un contrôle 2 fois par an ce n'est pas grand-chose.

Trevis, 12 ans

Aïe, aïe, aïe !... L'effet que je fais pas !

Avant d'embrasser une fille, tu as le droit de ne pas manger d'ail, sauf si tu ne sais pas comment lui dire adieu. L'ail, en effet, possède des composants très volatils qui sont ventilés par les poumons. D'où les bisous parfumés !
Tu peux de temps à autre renforcer l'efficacité de ton brossage grâce à des bains de bouche. Les lotions antiplaque sont vendues en grandes surfaces.

Plutôt lunettes ou lentilles ?

L'ophtalmologiste a jugé que tu devais porter des lunettes ? Selon le problème à corriger, il te dira si tu peux aussi porter des lentilles de contact.

Quels sont les avantages et les inconvénients de chacun des moyens de correction ? En général, les verres de contact sont utilisés pour corriger la myopie qui fait qu'on voit difficilement de loin.

Pour ou contre les lentilles

Il en existe des rigides et des semi-rigides que l'œil ne supporte pas toujours, et des souples mieux acceptées. Ces dernières doivent être nettoyées avec un produit spécial. Avant de te les prescrire, le médecin vérifiera que tu sécrètes assez de larmes. Inutile de pleurer, c'est lui qui décide. Les lentilles sont parfois irritantes mais elles ont des avantages : elles offrent une meilleure vue car les montures ne gênent pas. Elles sont plus pratiques pour faire du sport. Et si tu te trouves moche avec des lunettes, elles sont la parade idéale.

Et les lunettes ?

Les lunettes ne sont pas forcément ringardes. Aujourd'hui, elles sont de vrais accessoires de mode. Verres de forme sympa, montures fun, matériau genre titane à toute épreuve. Les lunettes ne donnent pas forcément un look intello. Elles peuvent souligner la forme de ton visage et le mettre en valeur si elles sont bien choisies. Bien sûr, pour jouer au rugby, ça n'est pas très pratique. Elles peuvent se perdre, s'oublier ou se casser. Quoiqu'il existe des verres incassables et des montures ultrasolides. Aujourd'hui, de nombreux opticiens offrent 2 paires pour le prix d'une. Cela permet de changer de look de temps en temps.

C'était trop lourd de se faire traiter d'intello. Surtout que je suis dans les derniers de la classe. J'avais tout faux. Maintenant, avec les lentilles, j'ai la classe.

Momo, 13 ans

Moi j'ai trouvé la solution tout de suite. J'ai demandé les deux et je change en fonction de mes activités. Comme ça, je n'ai que les avantages de chacune.

Patrick, 12 ans

Je me ronge les ongles

Dis donc, tu ne serais pas un peu nerveux ?
Allez, on regarde ce qui se passe.

Sais-tu que pour connaître l'état de santé d'un cheval,
on regarde ses sabots ? Une période stressante dans
la vie du cheval laisse en effet une marque sur la corne.
Tes ongles aussi trahissent ton état et d'éventuelles
carences en vitamines. Dans ton cas, il y a sûrement
quelque chose qui t'alarme. Essaie d'y réfléchir
et d'en parler à tes parents. Ou bien cette angoisse
est passée et tu as juste gardé la mauvaise habitude
de ronger tes ongles.

Là, c'est moins ennuyeux. Tu peux par exemple
acheter une balle en mousse et la triturer pour
occuper tes doigts. Lance-toi le défi de ne pas toucher
tes ongles pendant un certain temps. Tout d'abord
5 minutes, puis 10, etc. Chaque fois que tu tiens bon,
offre-toi une récompense. Cette manie finira par
passer. Chaque fois que tu flanches, recommence
en abaissant le temps. Et si tu sens que tu es vraiment
nerveux, parles-en à ton médecin, il saura quoi faire.

Je connais 2 astuces qui
marchent du tonnerre :
tu te frottes les doigts à l'ail,
résultat garanti.
Sinon, tu peux aussi te couper
les ongles supercourts.
Tu ne vas quand même pas
ronger tes doigts !

Joachim, 13 ans

Ma sœur, elle dit que les filles
regardent toujours les mains
des garçons avant de sortir
avec. Alors si tu veux avoir
une copine, pense à nettoyer
tes ongles et arrête
de les manger.

Francis, 13 ans

Je suis très nerveux et inutile de te dire
que je n'ai plus d'ongles du tout.
Ma mère a décidé de me donner
des granulés à base de plantes pour me
calmer. Au bout d'1 mois, j'ai commencé
à être plus cool et maintenant je touche
de moins en moins à mes ongles.

Franck, 12 ans

Alcool, tabac... teste tes connaissances

Les réponses de Robopote

1. Fumer du cannabis développe les muscles.

2. Les filtres des cigarettes arrêtent tous les poisons.

3. L'alcool aide aux performances sportives.

4. L'alcool fait grossir.

5. Dans le whisky-Coca, c'est le soda qui est dangereux.

6. Les filles adorent les gars quand ils sont saouls.

7. L'alcool est une drogue.

8. Les cigarettes blanchissent les dents.

1. **Faux.** Le cannabis développe juste une sensation de bien-être qui fait oublier le danger de la drogue.

2. **Faux.** Les substances toxiques ne sont pas arrêtées par le filtre qui stoppe uniquement un peu de goudron.

3. **Faux.** L'alcool donne seulement l'illusion d'être plus fort.

4. **Vrai.** Car l'alcool contient énormément de sucre.

5. **Faux.** Le whisky, comme tous les alcools, trouble la perception du monde extérieur. On croit pouvoir tout réussir. On perd le sens des réalités et des dangers.

6. **Faux.** Saoul, on est un peu bête. Les filles n'aiment pas trop ça.

7. **Vrai.** On ne s'en rend pas compte tout de suite, mais à trop boire, on finit par ne plus pouvoir s'en passer. C'est cette dépendance qui fait de l'alcool une drogue.

8. **Faux.** Elles auraient plutôt tendance à les jaunir.

Alcool pas cool

*Depuis quelque temps, attention, danger :
les sodas déguisés envahissent les soirées.
On les appelle les alcools fun !*

Trouve l'intrus

Au milieu des bouteilles de soda, se cache
un importun : le spiritueux ! Pas facile de
le découvrir car les fabricants de nouvelles
boissons pour jeunes ne jouent pas le jeu
de la transparence. Les emballages sont
colorés, les appellations délirantes. Mais
pour lire la mention « alcool », tu peux
chausser tes lunettes.

Quelques boissons à base de vodka, rhum
ou whisky doivent éveiller ta méfiance.
Toutes ces boissons sont ce que les
Américains appellent des « premix »
ou « alcoolpops », *pops* signifiant ici soda.
On les trouve en supermarché, en vente
libre, et c'est un peu le problème.

Comprendre le piège

Dans ces flacons superfun tu trouveras
quelquefois de la bière aromatisée,
du rhum ou encore de la vodka mélangée
à des sucs exotiques. Quelle que soit la
boisson, le principe reste le même : ajouter
un maximum de sucre pour te rappeler
les jus de fruits de ton enfance.

En plus, le sucre masque le taux d'alcool
qui est en réalité suffisant pour te faire
tourner sérieusement la tête.

Les médecins parlent de bombes
à retardement. En effet, la présence
excessive de sucre est mauvaise pour ton
poids mais aussi pour ton foie. Mélangé
à l'alcool, le cocktail est explosif pour
ta santé. Sans compter que tu risques
de t'habituer à l'alcool. Une boisson
« premix » en contient autant qu'une bière
ou un *baby* whisky avec du sucre en plus.

La mode

Apparus en 1998 aux États-Unis et en
2003 en France, les alcools fun agissent
comme une mode et donc influent sur
la consommation. On finit par boire pour
faire comme les copains ou pour être
fashion et non par goût. Ta meilleure arme
reste ta personnalité !

*J'ai un pote, il aime bien boire
en soirées pour faire genre.
N'empêche que quand il est saoul,
malade et qu'il vomit, les filles
ne le trouvent plus trop sexy.*

Éric, 13 ans et demi

Gare à la drogue !

Pourquoi tu dois dire non à toute forme de drogue.

Toutes les drogues produisent un effet néfaste sur le cerveau et déclenchent une dépendance. Les plus connues sont : **le cannabis, la cocaïne, l'ecstasy, l'héroïne, le tabac, l'alcool et certains médicaments.**

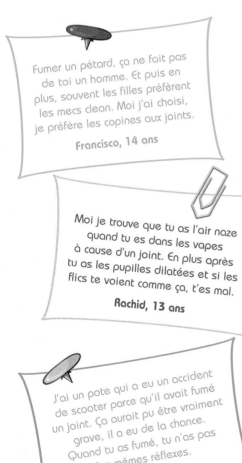

Fumer un pétard, ça ne fait pas de toi un homme. Et puis en plus, souvent les filles préfèrent les mecs clean. Moi j'ai choisi, je préfère les copines aux joints.

Francisco, 14 ans

Moi je trouve que tu as l'air naze quand tu es dans les vapes à cause d'un joint. En plus après tu as les pupilles dilatées et si les flics te voient comme ça, t'es mal.

Rachid, 13 ans

J'ai un pote qui a eu un accident de scooter parce qu'il avait fumé un joint. Ça aurait pu être vraiment grave, il a eu de la chance. Quand tu as fumé, tu n'as pas les mêmes réflexes.

Lucas, 13 ans

le tabac c'est trop cool...

Comment les drogues agissent-elles ?

Une partie de ton cerveau est destinée à produire du plaisir lorsque tu réponds à tes besoins vitaux, comme manger par exemple. C'est ce que l'on appelle le circuit de récompense. Ainsi, manger te fait plaisir et assure ta survie. Quand tu fais du sport, tu produis de l'endorphine, une substance créée par ton organisme qui stimule une zone sensible du cerveau et procure une sensation de bien-être. C'est pour cette raison que tu te sens heureux après le sport. Comment la drogue agit-elle ? Elle prend la place des substances que ton corps fabrique. Au début, le drogué ne ressent que du bonheur mais, très vite, sa vie tourne au cauchemar, il est en manque et il souffre. Il est dépendant.

Fumer du cannabis peut être dramatique à un âge où tu construis ta personnalité. En effet, la drogue change la perception des choses. Elle nuit à la capacité de réagir, de s'exprimer et de réfléchir, rend mou, empêche d'avoir des envies, de prendre des décisions, de faire du sport… Sous l'emprise du cannabis, le fumeur est incapable de suivre les cours et va tout droit à l'échec scolaire. De plus, devenu asocial, il est peu à peu abandonné par ses amis et a peu de chances que les filles s'intéressent à lui.

Le tabac et l'alcool sont aussi dangereux que les autres drogues. Ils fonctionnent de la même façon. Regarde autour de toi, les fumeurs se passent difficilement des cigarettes. Ils sont dépendants. Ils ont perdu leur liberté d'agir.

➡ Le cannabis est une plante qui est consommée sous 3 formes : l'herbe (marijuana, beuh…), la résine (haschisch ou shit…) ou l'huile. La résine et l'herbe se fument, mélangées à du tabac, dans une cigarette roulée (joint).

➡ Le cannabis est considéré comme un stupéfiant. Son usage est interdit depuis la loi du 31 décembre 1970. Si tu enfreins la loi, tu peux être appréhendé par la police et dénoncé auprès du tribunal des mineurs.

➡ La consommation de cannabis peut donner une impression d'euphorie et de bien-être. Mais même ponctuelle, elle peut entraîner des troubles de la vision et de la mémoire, des nausées, des maux de tête, un état de léthargie, et des crises d'angoisse.

➡ L'usage régulier du cannabis peut entraîner une dépendance psychique et des tas de problèmes. Le médecin traitant est un interlocuteur privilégié, il ne faut pas hésiter à lui en parler. Il existe également des Points accueil écoute jeunes (PAEJ) gratuits et anonymes, dont la liste est disponible dans les mairies.

Tout sur la cigarette

Tu penses que fumer ça fait grand ? Tu te trompes sacrément.
Toute la vérité sur les effets du tabac.

⭘ **Une cigarette, ça n'a l'air de rien.**
On pourrait penser que ce n'est que
du tabac. Pourtant, si on te demande une
cigarette, en échange, tu pourras proposer
du formol, du cyanure, de l'acétone,
de l'ammoniac, du goudron, de l'oxyde
d'azote, du dioxyde de soufre, du phénol,
du toluène… puisque toutes ces substances
sont contenues dans une cigarette.
La liste des irritants est longue ! En tout,
une cigarette en contient plus de 4 000.

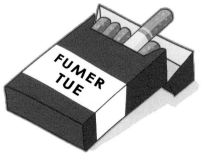

LE TABAC EN CHIFFRES

**La loi interdit aux buralistes
de vendre du tabac aux moins de 16 ans.
Depuis le 1er février 2007, il n'est plus
autorisé de fumer dans les endroits fermés
et couverts qui accueillent du public.
Le tabac est la deuxième cause de mortalité
dans le monde. Il est actuellement responsable
du décès d'un adulte sur 10. Si le tabagisme
continue sur sa lancée, il provoquera environ
10 millions de morts par an d'ici 2020.**

⭘ **Je t'invite à aller rechercher au CDI**
quelques photos de poumons esquintés
par le tabac. Les clichés produisent un effet
digne des films d'horreur. Seulement voilà,
ce que tu verras n'est pas du cinéma.
Le tabac est responsable de nombreuses
maladies du poumon, du cœur et des
artères. Mais il n'atteint pas que les
fumeurs. On parle de fumée secondaire
pour désigner les cas de non-fumeurs
respirant la fumée ambiante.

⭘ **Le tabac possède d'autres
« qualités » :** il jaunit les dents et les
doigts, donne une haleine affreuse,
parfume les vêtements, les cheveux…

⭘ **Pour finir, le tabac vide les porte-
monnaie.** Fumer représente un gros
budget sur l'année. De quoi s'acheter
des jeux de console ou autres cadeaux.

Comment dors-tu ?

Marmotte, lémurien,
ou juste un peu paresseux ?

1. 21 heures, pour toi, c'est l'heure...
Ⓐ De te connecter à Internet.
Ⓑ De rejoindre tes draps douillets et ta bouillotte.
Ⓒ De jouer encore un peu aux Playmobil.

2. Le matin, pour te réveiller, ta mère...
Ⓐ Sonne le clairon, te jette de l'eau et te tire du lit par les pieds.
Ⓑ T'embrasse, mais tu es déjà réveillé.
Ⓒ Est obligée de revenir une 2e fois.

3. Au petit déjeuner, en général...
Ⓐ Tu manques de te noyer dans ton bol.
Ⓑ Tu joues de la batterie avec 2 cuillères sur la brique de lait.
Ⓒ Tu alignes quelques mots pour faire plaisir et tu dégustes ton cacao.

4. En classe, à 14 heures, tu penses...
Ⓐ Que faire les cours dans un lit serait plus sympa.
Ⓑ Que madame Dufoix s'est trompée dans son calcul.
Ⓒ Qu'un coussin serait quand même bienvenu.

5. La nuit est faite pour...
Ⓐ Réviser tes cours de batterie.
Ⓑ Prendre des forces pour le lendemain.
Ⓒ Fermer les yeux 5 heures et retourner jouer.

As-tu une majorité de Ⓐ, de Ⓑ ou de Ⓒ ?

+ de Ⓐ : lémurien

Au secours ! Combien de temps vas-tu tenir ? Ton organisme a besoin de sommeil. Seuls les robots peuvent ne pas dormir. Tu devrais te coucher un peu plus tôt pour récupérer de l'énergie.

+ de Ⓑ : marmotte

La nuit, tu dors parce que tu en as besoin et le jour tu te sens en pleine forme. Tu as tout compris.

+ de Ⓒ : un peu paresseux

Tu ne passes pas ton temps à dormir, mais si tu le pouvais, tu le ferais bien.

Bonne nuit !

Dormir est primordial.
Cela te permet de reconstituer ta forme physique et psychique.

Si tu ne dors pas assez, ta vigilance baisse et tu risques l'accident, ton organisme ne peut plus lutter contre les maladies. Le manque de sommeil l'affaiblit. Nous dormons par cycles de 1 h 30 environ, soit 4 ou 5 cycles par nuit. Il y a d'abord l'endormissement, puis tu glisses dans un sommeil léger puis profond. Enfin, tu termines ton cycle par un sommeil dit paradoxal car, bien que ton corps soit endormi, ton cerveau travaille. Il traite les informations de la journée. C'est durant cette période que tu rêves, le plus souvent de ce que tu as vécu dans la journée ou bien de ce qui te tracasse. Chaque phase du cycle est importante. Elles permettent tour à tour aux muscles puis au cerveau de se reposer.

Un sas vers le sommeil

Travail, jeux, sport, ordinateur ou console, tu as été en effervescence toute la journée, un retour au calme s'impose. Entre la fin de journée et le moment où tu te couches, il est important de créer un sas de décompression pour relâcher ton organisme. Accorde-toi une demi-heure de calme, rêvasse, lis ou écoute de la musique. Choisis l'activité qui te détend le mieux.

Ton corps te parle

Quand ton organisme fatigue ou qu'il sent venir le moment de se reposer, il te le fait savoir. Il se met en veille comme un ordinateur. Tes yeux clignotent comme des feux de voiture, tu bâilles à te déboîter la mâchoire, tes paupières sont en plomb.

Écoute ton corps et file au lit. Sinon, ton organisme va penser qu'il doit encore travailler et va se réveiller. C'est comme si tu passais ton tour et il faudra attendre 1 h 30 pour retrouver le sommeil.

En clair, avant d'aller au lit, tu peux :

Lire.

Dessiner.

Écouter une musique douce.

Tenir ton journal.

Imaginer ou parler de choses agréables.

Jouer calmement.

Te raconter des histoires.

Boire du lait ou une tisane.

Évacuer les choses qui te tracassent en parlant avec tes parents.

Tu ne peux pas :

Faire du sport.

Te gaver de sucreries.

Jouer à la console vidéo.

Boire des sodas.

Faire un festin de roi.

T'énerver et te bagarrer avec ton frère.

L'AVIS DE L'EXPERT

Les soucis ou ton imaginaire qui te joue des tours dans le noir peuvent perturber ton sommeil. Mais le plus souvent, tu es victime de mauvaises habitudes. Tu luttes contre les signes d'endormissement que t'envoie ton corps et tu te couches trop tard. Mauvais calcul ! Le manque de sommeil entraîne des difficultés d'attention, de mémorisation... Adopte une bonne hygiène de vie, couche-toi à des heures régulières, et tout rentrera dans l'ordre. À ton âge, tu as besoin d'environ 9 heures, 9 h 30 de sommeil.

Urbain Calvet, médecin spécialiste du sommeil des enfants

Alerte au gaz, j'enlève mes pompes !

Tu as l'impression que le fromage sent meilleur que tes pieds ?
Lance le plan d'urgence !

Tes pieds sont des « fashion victims ».
Ou si tu préfères, des victimes de la mode.
Aujourd'hui, tout le monde s'achète des tennis,
des baskets ou des runnings et c'est un peu
la honte de porter autre chose. Le problème
c'est que les fabricants recherchent la performance,
le maintien, l'équilibre et l'amorti. L'odeur, jusqu'à
maintenant, ils s'en moquaient pas mal.
En même temps, les tennis sont faites pour le sport
et tu es censé les enlever après l'entraînement.
Que se passe-t-il à l'intérieur de tes magnifiques
runnings ? La même chose que sous tes bras :
tu transpires. D'abord parce que tes pieds sont
enfermés, ensuite ils ne respirent pas et, enfin,
la matière de tes chaussures active la transpiration.
La suite, tu la connais, les bactéries de ta peau
attaquent la sueur et bonjour l'odeur.

La meilleure des choses
à faire est de ne pas porter
tes baskets 8 heures par
jour tous les jours.
Lave-toi les pieds et
sèche-les bien. Change aussi
de chaussettes quotidiennement
et privilégie celles en fibres
naturelles. Pour chasser les odeurs,
il existe des aérosols à vaporiser
à l'intérieur des chaussures
et des déodorants pour les pieds.
Mais le plus souvent, l'odeur est
déjà installée dans tes tennis.
Passe-les alors à la machine à laver.
Si tu as investi dans des « collectors »,
lave-les plutôt à la main.
Dernière parade face aux vilaines
odeurs : installe des semelles à base
de charbon pour les capturer.
Les fabricants de chaussures de sport
commencent à mettre au point des
tissus antibactériens. Plus de bactéries,
plus de dégradation de la sueur donc
plus d'odeur. Pourvu qu'ils y arrivent !

Je pue des pieds grave.
Ma sœur ne rentre même plus
dans ma chambre. Ma mère
m'a acheté deux paires de
baskets et je ne porte jamais
2 jours de suite la même paire.
Comme ça mes chaussures
s'aèrent un peu.

Stéphane, 13 ans

Manges-tu équilibré ?

Tu grignotes ou tu dévores? Sucré ou salé?

Fais ce test pour savoir si ton régime est équilibré, trop riche ou trop maigre.

1. En vacances, tu manges...

(A) Si tu y penses.

(B) À 9 heures, 11 heures, 13 heures, 16 heures, 19 h 30, plus une sucrerie avant d'aller au lit.

(C) 3 fois par jour plus un goûter.

2. Ton petit plaisir de la journée c'est :

(A) Sentir tes chaussettes et jouer à la console.

(B) Te vider la bombe de chantilly dans la bouche.

(C) Un goûter entre potes.

3. Les glucides sont :

(B) Synonymes de bonheur.

(A) Des personnages de jeux vidéo à flinguer.

(C) Des sucres contenus dans les aliments.

4. Pour être en forme, il faut :

(A) Éviter de manger, ça fait vieillir les cellules.

(C) Faire du sport et manger de tout, un peu.

(B) Bouffer un max, c'est bon pour le moral.

5. Les haricots verts, c'est :

(B) La punition.

(A) Le surnom de tes sœurs.

(C) Bon pour les intestins à cause des fibres.

As-tu une majorité de A, de B ou de C ?

+ de (A) : trop peu

Il faudrait peut-être penser à te nourrir. Jouer c'est bien, mais ton corps est comme une voiture, sans carburant, il ne pourra pas avancer longtemps.

+ de (B) : trop riche

Tu connais la célèbre formule : il faut manger pour vivre et non pas vivre pour manger. La nourriture ne doit pas être ton but sinon tu vas au-devant de graves ennuis de santé.

+ de (C) : équilibré

Tu as compris qu'un régime équilibré te gardait en forme. Tu es sur la voie de la santé. Bonne route.

Pas content de mon poids

Tu te trouves trop gros ou trop maigre, faisons le point ensemble.

Il est important de savoir ce que tu veux dire par trop gros ou trop maigre. Est-ce toi, tout seul, qui penses ne pas être au bon poids ? Pose la question à ton médecin. Tu es peut-être dans la bonne moyenne, simplement, un bourrelet disgracieux te chagrine un peu. Si tu es vraiment trop maigre ou trop gros, alors il faut t'en remettre à un spécialiste qui t'expliquera comment agir si tu dois vraiment suivre un régime. Surtout, ne t'invente pas un régime farfelu qui pourrait être dangereux à ton âge.

Je me trouvais un peu gros en 6e et je n'osais pas parler aux filles. Je me suis mis à courir 2 fois par semaine et j'ai arrêté les barres au chocolat. Depuis, les filles commencent à me regarder différemment. C'est cool !

Vincent, 13 ans

L'obésité est liée à un trop-plein de graisse dans le corps qui absorbe plus d'énergie qu'il n'en dépense. Elle peut entraîner des problèmes respiratoires et articulaires importants avec le temps. Elle n'est pas forcément due à un excès d'ingestion d'aliments, mais peut-être à un besoin de se remplir pour combler un vide, un manque.

Les spécialistes du poids s'appuient en général sur un calcul très simple, à manier avec réserve, qui donne l'IMC, indice de masse corporelle. Il tient compte à la fois de ta taille, de ton âge et de ton poids. Ton médecin peut t'expliquer comment étudier tes résultats. Il les reportera dans ton carnet de santé et, si tu es suivi régulièrement, tu pourras tracer ta courbe de corpulence et voir si tu as vraiment raison de t'inquiéter.

Tu trouves que tu ne grossis pas assez ou trop vite ? Prends patience. En grandissant, tu vas certainement perdre ce petit gras superflu ou prendre les 2 kilos qui te manquent.

Bon appétit !

Un peu de tout

La bonne règle est de varier les aliments,
ce qui t'autorise à manger de tout.
Même des hamburgers si ça te fait plaisir,
mais n'en mange pas tous les jours. Évite
les sodas trop sucrés et bois plutôt de l'eau
aux repas. L'eau gazeuse est souvent très
salée, il ne faut pas non plus en abuser.
En mangeant de tout, tu ne manqueras
de rien, tu n'auras pas de « carences ».

Les aliments

Un repas équilibré est composé d'aliments
appartenant à 5 grandes familles :

❁ Les produits laitiers (lait, fromages,
yaourts…)

❁ Les céréales (pain, riz, maïs…)

❁ Les fruits et légumes

❁ Les corps gras (huile, beurre…)

❁ Les protéines (viandes, œufs,
poissons…)

Pour te composer des menus équilibrés,
mange raisonnablement des aliments
de chaque groupe au cours d'un repas.

Bon appétit !

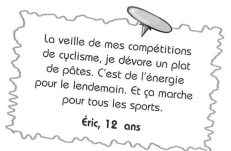

La veille de mes compétitions
de cyclisme, je dévore un plat
de pâtes. C'est de l'énergie
pour le lendemain. Et ça marche
pour tous les sports.

Éric, 12 ans

Du plaisir

Il faut se faire plaisir en mangeant et c'est
même conseillé. Installe-toi correctement
pour déjeuner ou dîner. Prends ton temps
et déguste. Ta digestion en sera facilitée.
Même si tu as faim
avant le repas,
essaie de ne pas
grignoter.

Du sport et des encas

Le plus souvent, on grossit parce qu'on ne
brûle pas tout ce qu'on a mangé. Le corps
fait des réserves : la graisse s'accumule.
En faisant du sport, tu consommes des
calories, et tu encourages ton organisme à
ne pas faire de réserves. Après le sport, ton
appétit se réveille. Ne gâche pas tes efforts
avec des gâteaux à la crème. Les fruits sont
aussi sucrés et meilleurs pour ta santé.

À la découverte de mon sexe

Tu te poses des questions sur ton sexe,
mais tu n'oses pas en parler ?
Tout ce que tu dois savoir est ici.

Les érections

Lorsqu'un garçon ressent un fort désir pour une fille, il est excité, les veines de son pénis se dilatent et s'élargissent de sorte qu'une quantité de sang plus importante peut pénétrer dans la verge. Alors, le pénis se gonfle et reste dans cet état jusqu'à l'éjaculation ou une perte d'excitation.

En cette période de puberté où tes hormones chamboulent tout, tu peux t'attendre à des érections involontaires. Sans te prévenir et même sans raison

apparente, ton sexe peut te jouer des tours et se mettre au garde-à-vous en plein cours ou dans le bus. Pas de panique. Tout cela est normal. Pour ordonner à l'effronté de retourner se coucher, il te suffit de te concentrer sur un sujet pas très drôle, tes devoirs par exemple, ou la pluie pendant le match de foot. Si tu constates des érections un peu trop régulières, échange ton survêtement contre un jean. Les choses se verront moins. Les érections involontaires n'obéissent à aucune règle. Tout le monde n'en a pas forcément.

Le matin, il arrive que tu te réveilles en érection. Cela peut s'expliquer de 2 façons :

▲ Soit ton organisme subit une montée d'hormone mâle que l'on appelle « pic de testostérone ». Cette poussée d'hormone est fréquente lors de certaines périodes de sommeil. Lorsqu'il dort, un homme connaît de 2 à 5 érections liées à ce phénomène.

> Une fois, je me suis réveillé en pleine nuit parce que je rêvais d'une fille de ma classe, trop top. J'avais éjaculé dans mon pyjama. Je me suis levé et j'ai mis le pantalon dans la corbeille de linge sale. Je n'ai rien dit à ma mère mais je pense qu'elle a compris ce qui m'était arrivé.
>
> **Clément, 13 ans**

▲ Soit une forte envie d'uriner gonfle ta vessie qui appuie sur le nerf érecteur. Ton sexe reprend normalement une attitude plus détendue au moment d'uriner. Attention tout de même à ne pas doucher les toilettes entières.

Les éjaculations nocturnes

Et à la préadolescence, il n'est pas rare de faire des rêves érotiques.
Ne t'inquiète pas si tu te réveilles en plein orgasme (plaisir intense) et au moment de l'éjaculation – c'est grâce à l'éjaculation que l'homme lâche des millions de spermatozoïdes contenus dans le sperme. Tant pis si les draps sont tachés. Il n'y a pas de quoi avoir honte, tous les garçons connaissent ces mésaventures. Ta mère ne dira rien, elle se doute qu'il ne t'est pas facile d'en parler.

La masturbation

Tu ne t'en souviens pas, mais tout bébé, tu partais déjà à la découverte de ton corps et aussi de ton sexe. C'est ainsi que font les enfants, ils jouent avec leur sexe. Chez les robots, c'est plus simple, il suffit d'étudier le plan de montage. Mais vous, les hommes, il vous faut apprendre à ressentir.
La masturbation est une caresse du sexe qui permet de comprendre son corps. Il n'y a rien de honteux dans cet acte. C'est également une forme de plaisir. Elle conduit le plus souvent à l'éjaculation. Mais un orgasme sans éjaculation est également possible à la puberté. Ces instants de plaisir auxquels la plupart des jeunes s'adonnent (tous ne le font pas) sont des moments intimes.

> Un jour, avec un pote, on a feuilleté une revue avec des filles nues au supermarché. On faisait gaffe de ne pas se faire voir. Et le soir, au lit, j'y repensais vachement et je me suis surpris à me masturber. Le lendemain, j'avais honte, mais mon copain m'a dit qu'il avait fait pareil.
>
> **Augustin, 12 ans**

Découvre ta personnalité

Quitter l'enfance pour entrer dans la préadolescence
c'est un peu comme changer de niveau dans un jeu d'arcade.
Et moi, les jeux, ça me connaît, tu parles, je sais même
les programmer. Je peux déjà te dire que dans ce 2e niveau,
tu vas affirmer tes qualités, ton caractère et tes passions.
En clair, tu vas construire ta personnalité.
Pour en sortir champion, lis bien les soluces que je te propose.

Prêt ? Allons-y !

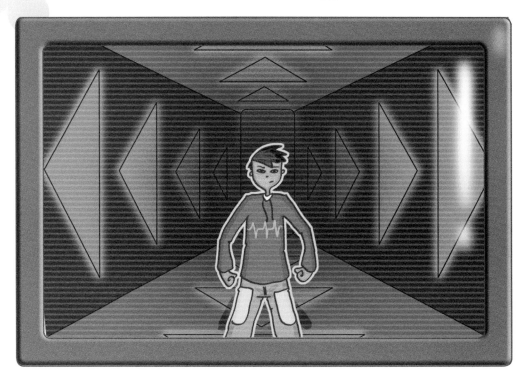

Est-ce que tu t'aimes ?

un peu, beaucoup, pas du tout ?

1. Tu encaisses un but à la deuxième minute de jeu, tu penses :

Ⓑ De toute façon, je suis nul en tout.

Ⓐ Si le défenseur faisait son travail, ça n'arriverait pas.

Ⓒ Ce sont des choses qui arrivent.

2. Camille vient de te larguer :

Ⓐ Elle ne sait pas ce qu'elle perd.

Ⓒ Une fille perdue, dix copains retrouvés !

Ⓑ Tu ne comprends même pas ce qu'elle te trouvait.

3. Tu sors du ciné, tu n'as rien compris au film :

Ⓑ L'inverse t'aurait étonné.

Ⓒ Il faut peut-être le revoir une deuxième fois.

Ⓐ Le scénario est nul, c'est tout.

4. Impossible de franchir le 1er niveau de *Devil may cry* :

Ⓐ Ce jeu est trop mal programmé, tu vas le revendre.

Ⓒ Avec une ou deux soluces, ça ira mieux.

Ⓑ Tu es encore plus nul que dans les buts.

5. Laura ne te parle plus depuis deux jours :

Ⓒ Tu lui demandes si par hasard tu ne l'aurais pas vexée.

Ⓐ Elle doit avoir une extinction de voix.

Ⓑ Ça vient de ton haleine, c'est sûr.

As-tu une majorité de Ⓐ, de Ⓑ ou de Ⓒ ?

+ de Ⓐ : beaucoup

Tu as une excellente image de toi. Tant mieux, cela permet d'avancer, mais il ne faudrait pas que ce soit au détriment de tes relations avec les autres. Ce serait dommage de devenir trop orgueilleux.

+ de Ⓑ : pas du tout

Tu ne regardes que la moins bonne partie de toi. Tu possèdes forcément des qualités, comme tout le monde. Pourquoi être si peu indulgent avec toi-même ?

+ de Ⓒ : un peu

Tu te sens bien dans ta peau. Tu as conscience de ta valeur et de tes défauts. Se connaître est déjà une qualité.

Je me trouve nul !

Tu te trouves moche, tu ne te regardes pas dans le miroir pour éviter qu'il se brise. Tu penses que tout le monde se marre dès que tu ouvres la bouche... Dis-moi, tu n'y vas pas un peu fort ?

Tiens, regarde, moi par exemple : je représente la toute dernière génération de Robopote intégrant la mise à jour 2008, le top du top en matière de robot. Eh bien crois-le ou non, je ne sais même pas graisser mes articulations tout seul. Ça ne fait pas de moi un gros nul pour autant ! Et pour toi c'est pareil. Tu sais faire des tas de choses et tu tâtonnes dans d'autres domaines.

Le problème, c'est que tu règles tes jumelles uniquement sur ce que tu ne maîtrises pas. Résultat : tu te trouves nul.

L'AVIS DE L'EXPERT

On est rarement satisfait de soi. Entre celui qu'on voudrait être et la réalité, il y a toujours un décalage. Ce qui est difficile, c'est de s'accepter tel que l'on est. C'est encore plus dur si, à la maison, on te répète des phrases comme « Que tu es bête ! » ou autres gentillesses.
Pour t'en sortir, concentre-toi sur ce que tu réussis, développe tes atouts. Tes « défauts » te paraîtront moins lourds à supporter.

Sylvie Companyo, psychologue

ANALYSEUR DE FAITS

Voici comment mon logiciel analyse les situations. Il existe 3 types de sujets : ceux que tu domines, ceux que tu apprends et ceux que tu ignores. Fais un tableau dans lequel tu réserveras une colonne à chacun. Chaque fois que tu loupes un test, un examen, une compète, place l'activité dans une des cases. Tu n'as pas réussi parce que tu ne savais pas ou bien parce que tu es en train d'apprendre ? Tires-en des conclusions positives telles que : maintenant je sais ou bien je dois encore travailler pour mieux comprendre.

Ne sois pas trop sévère avec toi-même

Tes copains t'apprécient pour tes qualités. Ce n'est pas parce que tu refuses de les voir que tu n'en as pas. Je suis sûr que tes potes se trouvent archinuls parfois, alors que toi, tu envies leur façon de jouer au foot ou de parler aux filles. Tu vois, nous sommes tous différents et c'est plus drôle ainsi ; nous avons tous des qualités et des défauts. Pour garder le moral, tu peux d'ailleurs dresser la liste de tes talents.

Utilise ton vécu pour te construire

Mets à profit tout ce que tu as vécu durant ton enfance.

Petit garçon, tu t'es construit des repères, tu as découvert ton entourage et tu as appris à vivre avec lui. Tu as même gagné des points d'énergie et des points d'expérience. Pour avancer dans le 2e niveau, la préadolescence, tu vas pouvoir t'aider de ce que tu as déjà vécu, mais tu vas également modeler la personne que tu es en train de devenir.

Quels sont tes repères ?

Le collège est une nouveauté, ton corps change, tes idées s'affirment et tu te disputes un peu avec tes parents. Il y a tout de même de quoi avoir le tournis. Parfois même, tu ne te reconnais pas ou tu es surpris par certaines de tes réactions.

Mon père a inventé un truc super : quelquefois, pendant le repas, on fait un tour de table et chacun doit raconter une chose qu'il a ratée dans sa journée et puis ensuite une action qu'il a réussie. Comme ça, on se rend compte qu'on n'est pas nul et que tout le monde fait des erreurs.

Jean-Michel, 13 ans

Dans ce cas, une seule solution s'impose : reviens à ce que tu connais bien et à ce qui te rassure. N'aie pas honte, par exemple, de reprendre tes jouets d'enfant ou ton doudou. Tu es en période de transition. Par moments tu te sens ado, et à d'autres tu te sens enfant. Petit, ton doudou te rassurait, il sait encore le faire, même si tu te poses à présent des questions de grand.

Certaines situations sont propices au doute
L'apprentissage par exemple. Tu ne comprends pas vite une leçon ou bien tes progrès en sport sont lents. Tu peux être amené à manquer de confiance en toi. Ce n'est qu'une légère phase de doute, dans peu de temps, tes efforts seront récompensés. Ne focalise pas non plus sur tes échecs et prends plutôt conscience de tes facultés dans les autres domaines. Tu peines en sport ? Oui, mais tu excelles au saxo. Quand le doute t'assaille, pense aussitôt à ce que tu maîtrises pour te remonter le moral.

Combats ta timidité

Tu rougis ou tu te tords les doigts quand on t'adresse la parole, tu n'oses pas demander ton chemin quand tu te perds. Il est temps que ça change, je te propose un entraînement « antitimidité ».

Une action par jour

Une fois par 24 heures, prends le taureau par les cornes et combats ta timidité :

◆ Demande l'heure dans la rue.
◆ Fais-toi expliquer le chemin pour aller à la boulangerie.
◆ Compose un numéro vert, appel gratuit, et demande un renseignement. Téléphoner, c'est plus facile, on ne te voit pas.
◆ Entraîne-toi à parler devant une glace.

Reste zen

Allez, on se calme, on respire lentement et on pense à un gros gâteau au chocolat. En clair, détends-toi quand une situation te bloque. Ne te laisse pas submerger par tes craintes. Tu te sentiras bientôt plus sûr de toi.

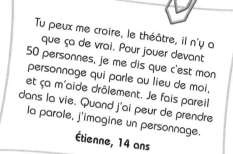

Tu peux me croire, le théâtre, il n'y a que ça de vrai. Pour jouer devant 50 personnes, je me dis que c'est mon personnage qui parle au lieu de moi, et ça m'aide drôlement. Je fais pareil dans la vie. Quand j'ai peur de prendre la parole, j'imagine un personnage.

Étienne, 14 ans

Dédramatise

Quand il est impossible d'engager la conversation avec une personne qui t'intimide, imagine-la dans une situation grotesque : en slip à la caisse de Monoprix ou une piqûre dans le derrière chez le docteur. Alors ? Toujours aussi impressionnante ?

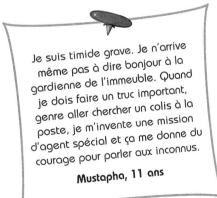

Je suis timide grave. Je n'arrive même pas à dire bonjour à la gardienne de l'immeuble. Quand je dois faire un truc important, genre aller chercher un colis à la poste, je m'invente une mission d'agent spécial et ça me donne du courage pour parler aux inconnus.

Mustapha, 11 ans

Auriez-vous l'heure, 'siouplaît ?

Découvre tes nouveaux défis

Pour modeler ton identité, tu vas devoir relever des défis.
La liste n'est pas si longue et le challenge est terriblement excitant.

Défi n° 1 la transformation de ton corps

Ton corps et ton esprit ne vont peut-être pas se développer à la même allure.
Si ta transformation physique te met mal à l'aise, évite de te détailler devant le miroir. La pratique d'un sport t'aidera à te développer harmonieusement. L'activité physique apporte aussi beaucoup de bien-être.

Défi n° 2 tes changements d'humeur

Ta vie est bousculée ces temps-ci, il est normal que tu emmagasines des émotions et des sentiments nouveaux. Alors forcément, de temps à autre, tu exploses pour laisser sortir le trop-plein de sensations. Et puis, souviens-toi que tes hormones travaillent beaucoup. Elles provoquent indirectement des colères et des baisses de moral. Rassure-toi, tout ceci est temporaire. Surtout, tu peux appliquer la méthode Coué. En te répétant les choses, tu finis par t'en convaincre.
Quand ton petit frère t'énerve, répète-toi « je suis zen » un maximum de fois, et tu finiras par gérer la situation dans le calme au lieu de lui donner une claque.

Défi n° 3 des libertés nouvelles

Tu pourrais penser qu'avoir plus de liberté ne représente pas vraiment une difficulté. En effet, c'est cool de grandir, de s'écarter un peu de la famille… Mais la liberté implique aussi de faire des choix qui, quelquefois, vont se révéler importants pour ta vie future. Quels amis dois-je fréquenter ? Dois-je faire de longues études ? Est-ce vraiment nécessaire de travailler en cours ? Certaines libertés te seront accordées par tes parents. D'autres ne le seront pas et ce sera l'occasion d'échanger des idées et de prouver que tu deviens responsable.

Défi n° 4 des responsabilités différentes

La première des responsabilités est celle de ta propre existence. Tu es de plus en plus responsable de tes actes et de leurs conséquences. Les adultes pardonnent des bêtises à un enfant qui ne sait pas ce qu'il fait mais sont plus intransigeants avec un grand. Tes parents vont te confier de nouvelles charges. Te préparer ton repas tout seul, t'occuper de ton petit frère, gérer la maison pendant une ou deux journées. Ces nouvelles responsabilités vont t'aider à grandir et à mûrir. Tu verras qu'il est très gratifiant de se voir confier une « mission ». C'est la preuve que ton entourage a confiance en toi.

de les quitter mais d'autres relations se forgeront, plus fortes et plus profondes. Parmi les relations plus étroites, tu vas aussi découvrir l'amour, si ce n'est pas déjà fait. Comme l'amitié, le sentiment amoureux offre la possibilité de partager des choses complètement nouvelles.

Défi n° 5 des relations plus profondes

Des copains, tu en as depuis longtemps déjà. Avec eux tu joues et quelquefois tu fais tes devoirs. En grandissant, tu vas découvrir des relations plus profondes. Certains copains vont devenir de vrais amis à qui tu te confieras. Tu te sentiras proche d'eux parce que vous vivez la même aventure, les mêmes conflits, les mêmes incompréhensions, mais aussi les mêmes bonheurs et les mêmes interrogations. C'est tout cela l'amitié. Durant cette période, tu vas également te séparer de certains copains qui grandissent différemment et se trouvent d'autres centres d'intérêt. Tu seras peut-être triste

Défi n° 6 un rythme scolaire soutenu

Ce n'est pas un secret pour toi, le collège t'impose un nouveau rythme de travail. Plus de matières, plus de travail personnel et une organisation nouvelle risquent de te fatiguer. Ajoute à cela que tu n'as pas toujours envie de te coucher tôt. Un véritable défi t'attend ici. La solution est simple : réserve-toi des moments de détente. École, devoirs, sport, musique, sorties ne laissent pas beaucoup de place aux périodes de repos. Instaure, deux fois par semaine, une heure de calme pour recharger tes batteries. Écoute de la musique et ferme les yeux.

En un mot : pose-toi !

Comment te vois-tu ?

À choisir, tu te verrais plutôt timide,

grognon ou exubérant ?

As-tu une majorité de **A**, de **B** ou de **C** ?

1. Tu es invité à l'anniversaire de ton copain Hugo :

A Tu n'oses pas lui dire que tu es né le même jour.

B Tu préfères encore regarder le journal de 20 heures.

C Tu as déjà commandé 120 000 cotillons et 300 sarbacanes.

2. La jolie Margot te propose une balade, mercredi prochain :

B Ça ne va pas ! Manquerait plus qu'elle t'embrasse !

C Super, tu préviens tes potes, à 10 on se marre mieux.

A Déjà 30 minutes que tu hésites, il faudrait peut-être lui répondre.

3. Tes parents te proposent une initiation au judo :

C Cool ! Y'aura une fête, à la fin ?

B Le sport en pyjama, c'est nul.

A C'est oui, si tu n'es pas obligé de parler au prof.

4. Tu récoltes un 16 en math :

A Les autres te regardent et tu n'aimes pas ça.

C Tu paies ta tournée de Coca à la classe.

B Pff… Tu aurais préféré un 17.

5. Tu te disputes avec ton copain Théo :

C Tu cries fort pour que tout le monde entende.

A Tu t'en vas sans donner ton avis.

B De toute façon, c'est toi qui as raison.

+ de **A** : timide

Peut-être que tu n'as pas assez confiance en toi. Tu sais, tout le monde a des qualités et toi le premier. Alors ne te mets pas sans cesse en retrait, ne réfléchis pas trop et avance tes idées.

+ de **B** : grognon

Et si tu t'ouvrais un peu aux belles choses de la vie ? Ce n'est pas très bon de toujours regarder le mauvais côté des événements. Et puis ton entourage va finir par se lasser de t'entendre toujours râler sans raison.

+ de **C** : exubérant

On peut dire que tu as de la personnalité, mais il ne faudrait pas qu'elle écrase les copains. C'est tout de même plus sympa quand tout le monde peut donner son avis.

Je ne trouve pas ma place

Tu as le sentiment de ne plus appartenir au monde de l'enfance et de ne pas être tout à fait un homme. Tu te sens entre deux, tu es pressé de devenir adulte.

Tu sais, on connaît toute sa vie des passages intermédiaires pendant lesquels on se forme. Un professionnel passe d'abord par le stade d'apprenti, un champion du monde doit conquérir un titre régional avant de passer au stade national. Mais pour être valable, cette période doit être longue. Le sportif doit prendre le temps d'acquérir les bons réflexes et les bonnes attitudes. Il apprend à s'adapter à toutes les situations. Vois la préadolescence comme une période d'entraînement où tu te cherches, où les erreurs commises ne sont pas trop graves. Les choses seront plus faciles et tu seras plus indulgent avec toi-même.

> Au judo, j'ai lancé l'idée d'un vide-greniers. J'ai aidé le prof à organiser l'événement et j'ai même dessiné l'affiche. Avec l'argent, on a pu assister à un grand championnat de judo. Maintenant, au club, on me demande souvent mon avis sur plein de choses.
>
> **Vincent, 14 ans**

Essaie de t'intégrer en douceur
Demande à tes parents de te confier plus de responsabilités et de te faire plus souvent confiance. Inscris-toi dans des associations (pour la défense de la planète par exemple) où tu prendras conscience de ta valeur et de ton travail. Cela te permettra d'exister autrement que par des notes scolaires. Tes actions et tes idées te feront compter aux yeux des autres et surtout aux tiens.

Montre à ton entourage que tu as conscience de tes devoirs de jeune dans la société. Participe à des activités de groupe, aide à organiser des réunions ou des manifestations de club. En retour, tu recevras des libertés car les adultes sauront qu'ils peuvent compter sur toi et que tu es une personne de confiance.

> Quand mes parents me laissent seul à la maison, je cherche un truc à faire qui leur ferait plaisir. Je passe l'aspirateur ou bien je fais la poussière dans une pièce. Ils me laissent de plus en plus souvent seul. Ils ont confiance et moi, je me sens comme un ado.
>
> **Stéphane, 11 ans**

Shoote ton côté obscur en 5 leçons

Tu as du mal à te débarrasser de ton côté pessimiste. Là aussi, il existe des soluces.

Dégommer les personnages de *Crysis*, tu sais le faire, mais quand ton moral file dans tes chaussettes, l'ennemi à abattre c'est toi.

1. E.T. appelle les potes !

Tu es seul, tu sens la déprime s'installer ? La solution tient en un mot : téléphone. Appelle tes copains pour faire un match de foot ou une partie en réseau.

2. Brise la glace

Façon de parler uniquement. Tu as le droit de te regarder dans un miroir à condition d'avoir la frite. Si tu te sens morose, fais un détour, ce n'est pas la peine de te lamenter sur un bouton trop rouge ou tes cheveux qui n'en font qu'à leur tête.

3. Chausse tes runnings

Enfile tes baskets et va faire un jogging. La course permet à ton corps de sécréter de l'endorphine, cette substance naturelle qui fait planer. Cool non ? Ça vaut le coup de transpirer un peu, et rien ne t'empêche d'emporter ton lecteur MP3.

4. Sors de ta coquille...

... Et profites-en pour aller au ciné, voir un spectacle ou une expo. Intéresse-toi aux activités de ta ville. Il existe toujours des associations ou des clubs qui organisent des événements. Il faut juste dénicher un peu les informations. Le résultat est toujours payant. Si tu vis à la campagne, enfourche ton vélo, sors prendre l'air ou demande à tes parents de t'emmener faire des activités à la ville la plus proche.

5. Change de décor

Pas le moral ? Ras le bol de ta chambre ? Allez, change toute la déco. Je n'ai pas dit d'arracher le papier peint, mais tu peux déjà remplacer les posters, réclamer des affiches au ciné du quartier, ranger tes CD et tes figurines à une autre place. Après une heure d'arrangement, tu constateras que ton coup de blues a disparu.

Pense à toi

C'est bien beau de plaire aux autres, mais il faut aussi s'écouter et se faire plaisir.

Allô, je m'écoute

Tu as une personnalité, des idées, des envies et ce serait dommage de les mettre à la trappe. Pense à faire ce que tu aimes et ne suis pas toujours la bande de copains juste pour leur être agréable.

Pleins feux sur tes réussites

Les autres ne te feront pas toujours des compliments, savoure tes succès ! Offre-toi un cadeau à chacune de tes victoires, juste pour qu'elles ne passent pas inaperçues. Tu verras, c'est bon pour le moral.

Mollo les modèles

Avoir un modèle dans la vie, c'est super, et tu en as sûrement un. C'est peut-être un acteur, un sportif, une personne célèbre pour ses engagements ou bien un ami dont le mode de vie te plaît. Ce modèle est un exemple que tu voudrais suivre. C'est une bonne chose, cela prouve que tu as des idées sur ton avenir. Mais attention, n'oublie pas ton identité.

Sous la Rome antique, au théâtre, les acteurs portaient des masques indiquant leur humeur ou leur rôle. Un masque pouvait, par exemple, révéler la tristesse, la colère, la joie... Le nom latin pour désigner ces masques n'était autre que « persona ». Ta personnalité est un éventail de masques : tu portes tantôt celui du bonheur, tantôt celui du chagrin...

Développe ta personnalité

Grâce à elle, tu feras face aux événements, tu feras tes choix et tu agiras dans ta vie d'adulte. Pour toutes ces raisons, cultive tes différences afin de ne pas être comme tout le monde. Et puis, la personnalité sert aussi à s'imposer, à défendre ses idées ou des causes, à éviter d'être sous l'influence de personnes qui pourraient te faire agir contre ton gré.

Du temps pour toi

Soigne ton look, fais quelques étirements, choisis tes vêtements. Consacre du temps à ta petite personne. C'est bien normal, après tout ! Entre le collège, les devoirs, la famille, pense aussi un peu à toi !

Je doute de moi

Découvre des astuces pour reprendre confiance en toi.

Le jeu de la vérité

Réunis 3 ou 4 copains. Prenez une feuille chacun. Annoncez un prénom au hasard et inscrivez les défauts et les qualités du garçon choisi. Réunissez les feuilles et lisez à haute voix. Tu vas être surpris de voir que tes copains t'ont trouvé beaucoup de qualités. Des défauts aussi, mais personne n'est parfait !

Un peu de réussite

Rien de tel qu'un peu de réussite pour prendre confiance en soi. Comment faire ? Ne te fixe pas des objectifs trop durs et trop lointains mais, au contraire, plusieurs petites étapes que tu pourras atteindre. Par exemple, si tu veux sauter 1,40 m en hauteur, fixe-toi d'abord de sauter 1,10 m, puis augmente de 5 cm à chaque saut réussi. Si tu rates à 1,35 m, tu auras toujours la satisfaction de plusieurs petits succès.

Lâche les freins

Quand tu n'arrives pas à accomplir une action, ce n'est pas forcément qu'elle t'est impossible, c'est peut-être parce que tu la crois irréalisable.

Dis-toi que tu peux y arriver. L'esprit a souvent une grande influence sur le comportement. Fais-lui confiance !

Regarde loin

La préparation mentale a fait ses preuves chez les sportifs. Imagine-toi en situation de victoire lors d'un match. En étant positif, tu mets un max de chances de ton côté. C'est mieux que de se voir perdant avant même de jouer.

D'accord, pas d'accord

Prends l'habitude de donner ton avis. Tu as peur de parler en groupe ? Commence par intervenir quand tu es d'accord avec tes copains, ainsi, personne ne te contredira. Petit à petit, interviens si tu n'es pas d'accord et défends tes idées. Dis-toi qu'on ne peut pas aller dans le sens de tout le monde et que tu as le droit d'avoir tes opinions. Tu ne perdras pas tes amis pour autant, et si tu les perds, c'est que ce ne sont pas de vrais amis.

Inspire-toi de ton héros

Suivre un exemple c'est bien, inventer sa vie c'est mieux.

Moi aussi, j'ai mon héros : Big Blue, le super ordinateur, capable de milliards de calculs à la seconde. Et toi, qui est ton héros ? C'est important de bien le choisir puisque tu as décidé de lui ressembler. Est-ce une personne célèbre ? Dans ce cas, prends du recul, les journaux enjolivent toujours la vie des stars, histoire de nous faire rêver. Tu peux admirer un champion et prendre exemple sur ses entraînements ou sur son mode de vie. Tout ceci est positif si tu ne te compares pas trop.
Tu ne pourras jamais vivre complètement l'existence de ton héros car vous êtes différents. Tu risquerais d'être frustré. Ton héros est quelqu'un de proche ? Tu voudrais être pilote comme ton voisin, dessinateur comme l'ami de ton père ? N'hésite pas à lui demander des conseils sur les formations à suivre.

Mes potes me mettent quelquefois à l'écart parce que je n'ai pas les mêmes goûts qu'eux. Il n'empêche que je suis sorti avec ma copine parce qu'elle aimait bien que je ne sois pas comme les autres. Je pense qu'il faut rester comme on est.

Yvan, 13 ans

Laisse donc parler ta personnalité

Inspire-toi de ton héros, mais ajoute tout de même ta touche personnelle, ton coup spécial au foot ou ton jeu de jambes perso quand tu danses lors d'une fête.

Avoir un héros de fiction est important à ton âge. Parce que ton personnage favori rencontre les mêmes difficultés, il te prouve que toi aussi, tu vas t'en sortir. Les héros sont un ingrédient utile à ta construction. Il est donc tout à fait normal d'éprouver des sentiments forts pour ces stars de films ou de jeux vidéo, tu les abandonneras en vieillissant, un peu comme ton doudou.

Mes batteries sont vides

Tu te sens tonique comme une guimauve... Je connais le problème, mes piles sont souvent à plat. Opération recharge électrique, c'est ici et maintenant.

Et si tu rigolais ?

Une bonne tranche de rire détend les muscles, remet de bonne humeur et chasse les idées noires. Emprunte des CD ou des DVD de comiques à la médiathèque de ta ville ; écoute des radios spécialisées. Il en existe aussi sur le Net : www.radio-rire.fr. En dernier recours, je suis sûr que tu as un copain un peu clown. Qu'est-ce que tu attends pour l'inviter ?

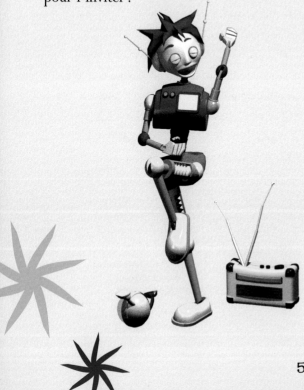

Le rire désopilant

En médecine, on appelle les différents liquides du corps «les humeurs». L'une d'elles, de couleur sombre, se nomme «atrabile» ou «bile noire». Quand elle s'accumule dans l'estomac, elle déclenche notre mauvaise humeur à cause des vapeurs qu'elle dégage et qui montent au cerveau. On dit alors qu'on est d'une humeur noire. Ce phénomène porte le nom «d'opilation». Le meilleur moyen de lutter contre l'humeur noire, c'est le rire désopilant. Il réduit l'opilation, secoue l'estomac, chasse la bile noire et les vapeurs disparaissent.

Séance photo

Fouille les cartons de tes parents et découvre les photos de leur jeune temps. Les coupes de cheveux de ton père à 20 ans ou les fringues de ta mère ne devraient pas te laisser indifférent. Sélectionne les visages les plus moches ou les plus ridicules et invente un « album des horreurs » à consulter à chaque coup de blues. Tu peux aussi t'offrir une séance comique avec tes potes en Photomaton.

Mon pote Matthieu passe son temps à raconter des blagues, et même quand elles ne sont pas drôles du tout, il rit tout seul. Matthieu, il a toujours la frite, alors quand je n'ai pas le moral, je vais le voir et ça va tout de suite mieux.

Youri, 13 ans

Libère-toi

Organise le concours le plus fou : à celui qui hurlera le plus fort. Drôle d'idée ? Oui, mais pas si ridicule. Le cri est libérateur d'énergie et permet de relâcher toutes ses tensions. Après une séance de cris, tu te sentiras tout neuf et vidé de ton stress. Donne rendez-vous aux copains sur le stade de la ville, loin des habitations, et lance le concours. Rigolade et bienfait garantis.

Que la force soit avec toi

Tu es à plat, incapable de trouver de l'énergie ? La force dont tu as besoin se trouve dans ton histoire. Reprends les coupes, les médailles que tu as gagnées, les bulletins scolaires où tu as brillé. Revis les événements joyeux du passé qui t'ont fait plaisir et ton sourire ne va pas tarder à revenir. L'énergie va suivre de très près.

Comment considérer les grands?

Les grands, côté pile

C'est valorisant de participer aux activités des grands. Tu admires leur aisance avec les filles ou avec les adultes. Forcément, avec leurs années de plus, ils ont pris de la maturité. En les côtoyant, tu profites de leur savoir. Certains sont très sympas et t'expliquent plein de choses sur les filles, la 3ᵉ… Ils peuvent te conseiller sur tes choix scolaires et sur certains métiers. Tu peux leur poser des questions que tu n'oses pas aborder avec tes parents.

En plus, c'est rassurant d'avoir des copains plus grands. Ils sont un peu là pour te protéger contre les durs de ta classe, ils peuvent t'apprendre à te défendre dans la vie et te raconter leurs expériences. Certains t'expliqueront peut-être les bêtises qu'ils ont faites et que tu ne dois pas faire. D'autres te feront découvrir des musiques cool.

Les grands, côté face

Tu aimes fréquenter les copains de ton grand frère, mais ils n'ont pas forcément les mêmes préoccupations que toi. Sans méchanceté, ils peuvent t'amener à faire des choses qui ne sont pas de ton âge comme fumer ou boire de l'alcool. Difficile de refuser face à un groupe plus vieux.

Certains grands vont peut-être s'amuser à t'influencer et à te faire commettre des bêtises comme voler ou racketter. Ce ne sera pas toujours évident de t'affirmer et de défendre tes idées. Avec 3 ans de plus, ils ont l'habitude de parler fort et avec assurance. Ils ont des connaissances que tu n'as pas encore et donneront l'impression de détenir la vérité. Dans ces conditions, comment développer ta personnalité? En fréquentant des copains de ton âge, tu pourras plus facilement échanger tes idées.

Les grands peuvent être cool quelquefois, mais dans les discussions, ils veulent toujours avoir raison. Quand ils essaient de me faire changer d'avis sans me laisser m'expliquer, je dis que j'ai des devoirs à faire et je rentre chez moi.

Christophe, 13 ans

Es-tu influençable ?

Un peu, carrément,
vraiment pas ?

**1. Ton meilleur pote vient de s'acheter des baskets
en plumes de cacatoès :**

Ⓐ Tu cours en acheter dix paires.

Ⓑ Tu éclates de rire.

Ⓒ Tu aimes bien, mais tu milites pour les cacatoès libres.

+ de Ⓐ : carrément

Tu es superbranché. Tu es prêt à tout pour faire partie d'un groupe. Dis-moi, ce ne serait pas un peu dangereux tout ça ? Et ta personnalité, tu en fais quoi ?
Il faudrait sûrement penser à être toi-même.

2. Selon le magazine de ta sœur, la mode est au violet :

Ⓑ Ta sœur est une idiote.

Ⓐ Comme ton slip est violet, tu le portes
sur ton pantalon.

Ⓒ Tu en toucheras un mot à ta mère.

3. Contre un bisou de Laetitia...

Ⓐ Tu accepterais de laver tes chaussettes.

Ⓒ Tu donnerais un des tiens.

Ⓑ C'est gratos ou rien du tout.

+ de Ⓑ : vraiment pas

Tu défends tes idées. Elles sont ce qu'elles sont mais ce sont les tiennes. On ne t'achète pas comme ça. Non mais des fois !

**4. Durant un anniversaire, un copain te propose
de boire une bière :**

Ⓑ Tu lui vomis sur la tête pour lui montrer
que c'est nul de boire.

Ⓐ Tu réfléchis en buvant un verre.

Ⓒ Peut-être un jour, mais pour l'instant ça ne te dit rien.

+ de Ⓒ : un peu

Tu as conscience des limites à ne pas franchir, mais tu n'as pas envie d'être mis à l'écart. Alors tu suis le groupe, mais pas n'importe où.

5. Pour faire partie de la bande, tu dois fumer une cigarette :

Ⓐ Tu en fumes 10 pour être le chef.

Ⓒ Tu fumes déjà des pieds, donc il n'y a pas de raison.

Ⓑ Tu crées la bande des mangeurs de Mars.

Sectes : saute le piège

Les sectes sont des organisations qui ne sont pas reconnues comme de véritables religions. Leur but : profiter de jeunes gens ou d'adultes en détresse. Certains adultes tentent d'attirer des ados et des préados en leur proposant une vie plus cool, sans soucis. Évidemment, rien n'est vrai dans leur discours.

Quel danger ?

L'organisation d'une secte est toujours la même : des disciples et un maître qui détient la connaissance absolue. En réalité, des adeptes retenus à leur insu et un dictateur aux intentions destructrices. Le but inavoué du gourou (surnom du maître) est d'abuser des disciples tant financièrement que sexuellement. Il a tout pouvoir sur eux et, sous couvert de croyances occultes, les démunit de leurs biens et brise leur personnalité.

O Les adeptes des sectes empêchent les plus jeunes de s'intégrer dans la société. Ils risquent d'être bannis de la secte et d'être séparés de leurs parents s'ils n'obéissent pas aux règles ou deviennent amis avec des gens extérieurs à la secte.

O Dans beaucoup de sectes, des régimes alimentaires très stricts sont imposés. Ils peuvent, particulièrement chez les enfants et les ados qui sont en pleine croissance, entraîner d'énormes carences et de graves problèmes de malnutrition.

O Bien souvent, les sectes interdisent les traitements médicaux, les médicaments, les vaccins, les transfusions sanguines. Sans soins appropriés, les malades, y compris les plus jeunes, peuvent mourir.

Les méthodes

Jusqu'à présent, les sectes attiraient les jeunes en détresse en tenant des discours démagogiques, c'est-à-dire en exprimant ce que les ados voulaient entendre. Ils proposaient de l'amour, de la compréhension et une vie plus facile. Aujourd'hui, le piège est plus subtil. Certaines sectes se cachent derrière des façades très attrayantes telles que cours de musique, associations diverses, conférences, expositions…

On peut exposer les méthodes des sectes en 3 volets simples qui devraient te permettre de repérer un « recruteur ».
1. La séduction. Le recruteur fait tout pour te plaire et pour que tu l'apprécies.
2. La mort de ton esprit critique. Petit à petit, il t'amène à penser comme lui.
3. La secte est ta nouvelle famille. Le groupe d'amis qu'il t'a présenté cherche à remplacer tes parents.
Garde bien ces 3 étapes en tête, et au moindre doute sur des connaissances nouvelles, parles-en à un proche.

Pour sauter le piège

Le discours des recruteurs est toujours le même : te venir en aide dans ta détresse. Si tu as le moindre doute sur des gens qui te proposent de rejoindre un groupe sympa, parles-en à des adultes de confiance ou à tes copains. Tu peux également te rendre sur Internet et consulter des sites spécialisés, parmi lesquels : www.attention-enfants.org, dont le but est de protéger les enfants, ados et familles contre les sectes.

Mode : quelle est ta tendance ?

Es-tu hyperbranché, has been

ou juste dans la mouvance ?

As-tu une majorité de A, de B ou de C ?

1. Elsa s'est moquée de ta coupe de cheveux ce matin :

Ⓐ Tu as déjà pris rendez-vous chez Fashion Hair 3000.

Ⓑ Tant mieux, elle t'a remarqué.

Ⓒ Tu feras peut-être quelque chose le mois prochain.

2. Ta tante t'assure que les lunettes de soleil vertes à montures en plastique mousse seront bientôt à la mode :

Ⓐ Tu lui en réclames 6 paires d'avance.

Ⓑ Tu aimes bien tes vieilles lunettes, pourquoi tu en changerais ?

Ⓒ Tu veux d'abord voir tes potes avec.

3. C'est superclasse d'écrire en violet mais ton prof de français déteste :

Ⓐ Ce n'est pas grave, tu assumes les 0 à venir.

Ⓑ Tu ne vas pas faire baisser ta moyenne pour un pigment.

Ⓒ Vivement que la mode passe à l'orange, il adore cette couleur.

4. La mode relance les slips kangourous de ton grand-père :

Ⓐ Génial, tu vas pouvoir lui en piquer plein.

Ⓑ Tu ne peux pas aller jusque-là, même si les filles adorent.

Ⓒ Tu es d'accord, mais seulement s'ils sont vraiment confortables.

5. Ton vœu le plus cher serait que :

Ⓐ Ton vieux jean soit à la mode éternellement.

Ⓑ Les couturiers changent de boulot.

Ⓒ Les prix bas soient à la mode.

+ de Ⓐ : hyperbranché

Tu ne serais pas le fils de Paco Rabanne et Coco Chanel ? Parce que la mode, franchement, c'est ton truc. J'espère que tu gardes tout de même un peu de ta personnalité.

+ de Ⓑ : has been

Ta devise : être à la mode, c'est démodé. Tu te moques bien des courants vestimentaires et de ceux qui les suivent. Tu penses qu'ils n'ont pas beaucoup de personnalité et tu as peut-être un peu raison.

+ de Ⓒ : dans la mouvance

Bon, tu veux bien essayer de suivre la tendance, mais il ne faut pas non plus que ça te demande trop d'efforts ou d'argent. Tu veux bien être dans le coup mais pas dans le coût.

Trahi par ton look

Eh oui, tes vêtements sont bavards et ils en disent long sur toi.

Des habits multifonctions

Ils révèlent un peu de ta personnalité à ceux de ton âge. C'est un moyen pratique de se reconnaître et de se regrouper au sein d'une même peuplade. Tes vêtements ont aussi un rôle de séduction. Grâce à eux, tu plais et tu te sens mieux dans ta peau.

Se distinguer par les marques coûte cher

Pour souligner tes différences, tu choisis ton look. Mais l'allure ne suffit pas. Pour être reconnu par le clan, tu dois porter certaines marques. Mais ça revient cher et tu vis un cruel dilemme : dois-tu être raisonnable au risque de passer pour un ringard ? Dis-toi que tes copains ont les mêmes soucis. Ils peuvent comprendre tes choix. L'amitié ne se résume pas à une étiquette sur un vêtement !

Je ne suis pas vraiment la mode, ça coûte trop cher. Mais quand mes pantalons sont vieux, j'ai le droit de dessiner dessus. Je dessine aussi sur les jeans de mes potes, mais je ne fais jamais le même motif.

Tony, 13 ans

Te créer un look perso de la tête aux pieds

Pour les cheveux, tu as le choix parmi de nombreux produits. Oublie tout de suite la bombe de laque que mamie utilise pour transformer ses cheveux en choucroute brillante. Choisis les gels à fixation souple, moyenne ou forte selon l'effet désiré. Il existe aussi des gels « effet mouillé », style « sorti du lit », ou de l'eau coiffante pour discipliner les épis rebelles.

Côté vêtements, place aux « bling bling »

Les chaînettes, boucles de ceinture et autres décorations sont non seulement à la mode, mais en plus elles permettent de se démarquer des copains. Pas question de porter tous les mêmes !

Quant aux chaussures, même si tout le monde porte des runnings ou des baskets montantes, il y a toujours moyen d'être original grâce aux lacets. Il en existe de toutes les couleurs. Tu peux les attacher comme tu veux, les serrer avec des boules « serre-lacets » ou ne pas en avoir du tout.

Quelle est ta tribu ?

Quel que soit le pays, quand on parle de mode, on parle aussi de « vague ». Ainsi, en Angleterre la New Wave et la bossa-nova au Brésil. Rien d'étonnant puisque la mode, comme les vagues, s'en vient, s'en va, et finit toujours par revenir. La preuve, les chemises à cols larges et les pantalons pattes d'éph' des années 70 s'offrent une nouvelle vie aujourd'hui. Sais-tu que les baggy trousers chers aux rappeurs étaient déjà le lot des jazzmen dans les années 50 ? Il suffit, pour s'en convaincre, de jeter un œil au vieux film *Stormy Weather*.

Glisse attitude

Sweat large et pantalon baggy. Le top c'est de laisser entrevoir ton caleçon.

Pas de doute, tu as le look skateur. Mais si tu te sens plutôt surfeur, les cheveux longs sont de rigueur. Aux pieds, tu portes des Vans, des ES, ou encore des DVS. Casquette ou bonnet sur les oreilles, dans les oreilles, c'est du Ben Harper, du Bob Marley, du Patrice ou du Jack Johnson. De la musique cool, en général.

Show off

Attention devant, ça brille. Tu aimes le RnB, le rap ou le hip-hop. Ton look vient des US : style clinquant de la banlieue new-yorkaise, accessoires flashy, chaînes en or, bling bling et vêtements amples. Tu es proche de l'esprit rappeur, avec ta casquette, ton survêt extra-large, ton sweat avec capuche et tes baskets montantes hyperentretenues. Tu peux écouter la musique qui te va bien : Eminem, NTM, G-Unit, 50 Cent, D12, Soprano, Sefyu, Psy4 de la Rime, Booba…

Dance, electro-house

Tu aimes le moulant : pantalon ou tee-shirt de marque, il faut que ça colle. Le jean tombe parfaitement sur des Converses ou autres « shoes hyperfashion ». Côté musique, tu fais dans le type soirée avec David Guetta, Bob Sinclar ou encore Antoine Clamaran, Martin Solveig, David Vendetta.

No logo

C'est le nom d'un mouvement jeune anticonformiste. Ras le bol des pubs et des modes. Vive le bio et l'écologie. Le look ? Tout ce que tu veux si tu es bien dedans mais attention, en dégriffé ! Le mouvement est probablement parti du livre *No logo : La tyrannie des marques* de la Canadienne Naomi Klein. Tu peux aimer la musique qui te chante puisqu'il n'est pas question de marques pour un groupe ou un chanteur.

Et le gothique dans tout ça ?

Voici un mouvement un peu inspiré du punk mais aussi de la New Wave. Parmi les pionniers on cite Bauhaus, Siouxsie et même The Cure. Mais on écoutera aujourd'hui Dead Can Dance, Marilyn Manson et Craddle of Filth, Slipknot, Machine Head. Pour le look, tu peux admettre tout ce qui est noir, mystérieux et apocalyptique. Brrr...

Le vieux mouvement punk revient à la charge :

cheveux dressés sur le crâne, blouson de cuir noir et rangers aux pieds... Les chaînes et les épingles de nourrice font partie du look. L'éventail musical est géant. Tu peux écouter le punk des débuts (1975-1976), celui des Sex Pistols, Iggy Pop ou The Clash. Iggy signe tout de même la bande du jeu Driver 3 ! Le punk revit aujourd'hui avec NOFX, Bad Religion ou encore Burning Heads. Et si tu veux avoir une idée du destroy en français, jette-toi sur La Souris Déglinguée, Bérurier Noir ou Gogol Ier.

Perso, moi je suis plutôt rock, et mes groupes fétiches, c'est : BB Brunes, Naast, Babyshambles, The White Stripes et Bloc Party.

Sébastien, 13 ans

Forge-toi un esprit critique

*Internet, radio, télévision, magazines, journaux, les médias ne manquent
pas pour te fournir de l'information. Au milieu de cette avalanche de nouvelles,
tu dois te faire TON opinion. Les conseils qui suivent devraient t'y aider.*

Le pour et le contre

Tu viens de lire un article sur Internet
ou dans un magazine, attention, ce n'est
pas parce que c'est écrit que c'est vrai !
Avant de croire ce que tu lis, prends
l'habitude de chercher une info différente
ou contradictoire. C'est un bon réflexe
qui t'évitera d'être trop crédule.
Fais-toi ensuite ta propre opinion
sur le sujet.

Attention image

Voici un gros piège que la télé nous
tend régulièrement : les images.
Dans le meilleur des cas, elles
ne sont pas trafiquées, mais elles
ne méritent pas forcément tout
ton crédit. Souviens-toi que
le cameraman a fait des choix.
Lorsqu'il te montre une scène, il en évite
peut-être une autre qui dirait le contraire.
Méfie-toi aussi des raccourcis. Plusieurs
images de crashs aériens vont te faire
penser que l'avion est dangereux.
En réalité, il fait moins de morts,
et de loin, que la voiture ou la cigarette.

Les racontars

Les bruits qui courent ne sont pas toujours
faux mais pas toujours vrais non plus. Mais
alors, qui croire ? C'est le temps et le recul
qui t'aideront. Selon certains bruits, la prof
de géo serait absente lundi prochain ? À ta
place, j'apprendrais tout de même ma leçon
et je verrais bien plus tard qui avait raison.

Le bon sens

En dernier recours et en cas de doute sur
une information, fais marcher ta cervelle.
Si on veut te raconter un gros bobard, fais
appel à ton bon sens pour lever le pot aux
roses. De temps à autre, écoute la petite
voix qui te dit de te méfier. Cela s'appelle
l'instinct et ce n'est pas toujours trompeur.

Bon ou mauvais caractère?

Ton caractère est exécrable,

acceptable ou agréable?

1. Sacha te demande l'heure dans la cour pour la troisième fois de la journée, tu réponds :
(A) Tu ne veux pas que je te paye une montre ?
(B) 10 h 25.
(C) 10 h 25, mais c'est la dernière fois que tu me demandes.

2. Ta mère voudrait que tu mettes le couvert :
(A) Tu râles, tu l'as déjà mis le mois dernier.
(B) Tu le fais vite pour retourner jouer.
(C) OK, mais il va falloir instaurer un roulement.

3. C'est l'anniversaire de ta sœur :
(A) Elle ne va pas nous faire le coup tous les ans.
(B) Tu lui offres une place de cinéma.
(C) Tu lui demandes ce qu'elle compte t'offrir pour le tien.

4. Pour toi la colère c'est :
(A) Un mode d'expression comme un autre.
(B) Comme un dérapage incontrôlé.
(C) Une soupape de sécurité.

5. Pour être tranquille, tu accroches sur ta porte de chambre :
(A) Une tête de mort.
(B) Ne pas déranger.
(C) Ton slip.

As-tu une majorité de A, de B ou de C ?

+ de (A) : exécrable

Tu es gracieux comme un oursin. Tu as perdu combien de copains depuis la rentrée ?

+ de (B) : agréable

Le calme semble te définir et tu as l'air de très bonne composition. Tu ne voudrais pas être copain avec un robot sympa ?

+ de (C) : acceptable

Tu as bon caractère mais il ne faut pas dépasser les bornes qui, d'ailleurs, ne sont pas très loin.

Maîtrise ta colère

Sais-tu ce que signifie être soupe au lait ?
Cette expression s'emploie pour parler d'une personne qui s'énerve rapidement. Disons que, comme le lait, elle bout facilement et déborde très vite. Tu te reconnais dans cette image et tu ne sais pas comment baisser le feu pour éviter le débordement ?
Lis attentivement cette rubrique.

Quand je sens que la colère monte, je vais faire un tour dans le jardin et j'essaie de penser à un souvenir agréable pendant lequel je me sentais super calme, comme la dernière fois que je suis allé en vacances à la mer et que j'observais les vagues aller et venir. Ça me fait du bien et je rentre calmé.

Vincent, 13 ans

✳ Exprime-toi calmement

Quand on est en colère, on a du mal à se contrôler et la langue fonctionne parfois plus vite que le cerveau. Au lieu de dire des choses méchantes qui dépassent tes pensées, respire un grand coup, serre les dents et pense à quelque chose qui pourrait te calmer, un beau ciel étoilé, par exemple.

✳ Un mensonge autorisé

Tu es en pleine discussion avec un copain ou ta sœur. Vous n'êtes pas d'accord et tu sens que tu vas exploser. Ne va pas plus loin. Prétexte de te rendre aux toilettes ou invente une autre excuse. Quand tu seras au calme, la colère va redescendre et tu verras plus clair dans votre dispute.

✳ Baisse le volume

C'est toujours comme ça, on pense avoir raison quand on crie, et on est sûr qu'on va convaincre l'autre en hurlant. C'est faux, on va surtout l'énerver. N'hésite pas à faire remarquer à l'autre qu'il parle fort et baisse d'un ton aussi. Il va calquer son débit et son ton de voix sur les tiens.

La dernière fois que j'ai pété un plomb, je ne me suis pas reconnu. J'ai failli frapper mon meilleur pote. Après, j'ai eu honte. Et quand je sens que je vais m'énerver, je repense à ce moment-là et la colère s'en va.

Fred, 12 ans

✳ Ouvre les vannes

Avec l'école et les soucis de la maison, tu accumules du stress. Il est bien normal que cette tension sorte de toi à un moment ou à un autre. Heureusement, tu peux choisir le lieu, le moyen et le moment. Comment ? En pratiquant un sport qui te défoule et va libérer toute ton énergie.

✳ Fais une annonce

Si tu ne dis pas à ceux avec qui tu te disputes ce que tu ressens, pas de danger qu'ils le devinent ! En faisant la tête ou en hurlant, tu n'arrangeras rien. Essaie de leur dire calmement que c'est pas ton jour. « Tous aux abris, je suis d'une humeur massacrante. » Pourquoi ne pas annoncer la couleur ? Un écriteau sur ta porte, un soleil, un sens interdit ou une tête de mort pourraient renseigner tes visiteurs de ce qui les attend s'ils se montrent un peu trop pressants ou envahissants.

L'amitié, y'a que ça de vrai!

Il y a les potes, tous les copains que tu apprécies
et avec lesquels tu partages beaucoup d'activités.
Mais les vrais amis, eux, tu les comptes sur les doigts de la main.
Ils partagent tes secrets, tes malheurs et tes joies.
En cas de coup dur, ils sont toujours là.
L'amitié est une aventure géniale avec ses moments forts
et aussi parfois ses déceptions.
Découvre vite comment te faire de vrais amis et comment les garder.

Prêt ? Allons-y !

Pour toi, c'est quoi l'amitié ?

Pour avoir de bonnes relations avec tes amis,

lis ce qui suit.

Un ami c'est quelqu'un de parfait.
Faux.
Ben non… Tu le sais bien que la perfection n'existe pas. Toi-même, tu n'es pas parfait. Tes amis ont comme toi des qualités et des défauts. Et tu les aimes comme ça, n'est-ce pas ?

Mon ami doit m'aider tout le temps.
Faux.
Faudrait pas exagérer non plus. Les amis offrent leur aide, c'est vrai. Mais tu ne vas quand même pas leur demander de faire le ménage dans ta chambre et tes punitions.

Il faut tout pardonner à ses amis.
Faux.
Si ton ami te fait une grosse vacherie, rien ne t'oblige à pardonner. Maintenant, s'il n'a pas fait exprès et s'il s'excuse, tu peux bien lui laisser une chance. Si tu ne pardonnes pas à ceux que tu aimes, à qui pardonneras-tu alors ?

Un ami, on n'en a qu'un dans la vie.
Faux.
Heureusement que non. L'amitié est une richesse, j'espère que tu auras plein d'amis dans ta vie. Mais il n'y a pas de règle, tu peux en avoir 2 ou 20, peu importe.

Un ami partage aussi bien les fêtes que les malheurs.
Vrai.
C'est d'ailleurs quand tu as des galères que tu découvres tes vrais amis. Ils t'entourent et t'aident à passer les mauvais moments.

À quoi ça sert l'amitié ?

*L'amitié c'est cool. Sans réfléchir,
on devient ami et ça aide dans la vie.*

Des amis pour grandir

Grâce à tes amis, tu t'éloignes peu à peu
de tes parents, ce qui est nécessaire pour
devenir adulte. Tes copains se posent les
mêmes questions que toi et vous trouvez
ensemble les réponses. C'est vrai, ce
n'est pas toujours facile de discuter avec
ses parents. Il y a des sujets, comme
l'amour, qu'on n'ose pas aborder avec
son père ou sa mère. Avec les copains,
c'est différent. Vous grandissez ensemble.

Un écrivain français du nom
de Joseph Joubert disait :
« Quand mes amis sont borgnes,
je les regarde de profil. » C'est une
jolie façon de dire que les défauts
de ses amis, on les ignore
volontairement. Autrement dit,
avec les amis, on est
plus tolérant !

L'amitié donne confiance

Tu as des copains : tu es intégré dans un
groupe et tu existes aux yeux des autres.
Vous vous habillez pareil, vous écoutez
la même musique. Votre petit groupe est
important, il te donne confiance en toi.

Entre amis, on se stimule

Dans la vie, c'est comme dans le sport :
on avance mieux avec l'équipe derrière
soi. Les copains et toi, vous vous soutenez
dans les galères. Et dans les moments
de réussite, vous faites la « teuf ».

L'AVIS DE L'EXPERT

**À TON ÂGE,
L'AMITIÉ EST TRÈS IMPORTANTE.**
Elle te fait grandir, t'aide à mieux
comprendre qui tu es et à te détacher de tes
parents. Tu avances à tâtons, plein d'attentes,
dans cette découverte des relations avec
les autres. Ce n'est pas toujours facile car
il y a des erreurs, des déceptions... mais aussi
de grandes joies ! Difficile de dire pourquoi
c'est avec cette personne en particulier que
tu t'es lié. Parce que tu as envie de lui
ressembler, parce qu'il ou elle te complète
ou te rassure... Il y a toujours une raison.
Laquelle ? Le mystère reste entier.

Sylvie Companyo, psychologue

Deviens un super ami

Comment te comporter pour construire une amitié solide ?

⚙ **Règle n° 1 : généreux en amitié**

En amitié, on fait des cadeaux pour le plaisir d'offrir. Un cadeau, ça peut être plein de choses différentes : une figurine Heroclix, ou un livre pour un anniversaire. Mais ton aide pour des devoirs, c'est aussi un cadeau. Rends un max de services à Franck ou à Antoine sans te demander combien de fois ils t'ont aidé.

Je suis un peu tête en l'air d'habitude, mais quand mes amis me racontent des choses importantes, je n'oublie rien de ce qu'ils me disent. C'est trop précieux les secrets.

Jérémy, 11 ans

⚙ **Règle n° 2 : vive la différence**

Avec tes copains, vous vous ressemblez bien sûr, mais vous n'êtes pas des clones. Par exemple, vous aimez le même genre de musique mais pas forcément les mêmes groupes. C'est important de cultiver vos particularités car grâce à elles, vous échangez des idées. Vous n'êtes pas toujours d'accord mais c'est ce qui fait vivre votre bande.

⚙ **Règle n° 3 : sois cool**

Ton meilleur copain est ton confident, vous vous éclatez bien ensemble. Ça ne veut pas dire que, de temps en temps, il n'y a pas de dispute. En général, elles passent vite et vous vous retrouvez. Il se peut aussi que ton ami s'éloigne de toi. Tu dois comprendre que vous grandissez tous les deux et que vous prenez peut-être des chemins différents. Alors reste cool, l'amitié c'est aussi accepter les changements.

⚙ **Règle n° 4 : un ami c'est plus qu'un copain**
Avec un véritable ami, on partage des choses intimes, des secrets qu'on ne raconte pas aux copains. C'est pour ça que ce n'est pas une relation comme les autres. Fais attention à ne pas trahir les secrets, à ne pas charrier ton ami sur ses défauts ou ses maladresses. Entre amis, on s'aide, on ne se moque pas.

Avec les potes, on fait souvent des parties de *Munchkin* le mercredi. Quand je veux faire plaisir à mon copain, je lui offre une extension, et lui, il fait pareil.

Philippe, 12 ans

Tu perds la partie si :

✪ Tu divulgues un secret.

✪ Tu dragues la copine de ton ami.

✪ Tu critiques la famille ou les amis de ton ami.

✪ Tu abuses de sa gentillesse.

✪ Tu dis du mal de ton ami derrière son dos.

✪ Tu voles ton meilleur ami.

✪ Tu ne tiens pas tes promesses.

Je suis timide mais je me fais des copains

Premier jour de colo ou rentrée scolaire dans une nouvelle école, il n'est pas toujours facile de se faire des copains, surtout si tu es un peu timide.

Ingrédient de base : le sourire

Évidemment, si tu souris comme Hulk, on ne va pas se battre pour être ton copain. On ne te demande pas non plus de faire la pub pour un dentifrice, mais entre les deux, je suis sûr que tu peux avoir l'air aimable.

> Le jour de la rentrée, j'amène une balle de tennis et je propose un foot à la récré. Il y a toujours des volontaires et je me fais des amis supervite.
>
> **Max, 11 ans**

> J'aime bien crayonner des trucs rigolos sur mon agenda, ensuite, je les montre et ça fait rire mes voisins de classe. C'est toujours comme ça que je fais connaissance, sans parler mais en dessinant.
>
> Olivier, 13 ans

Un soupçon de courage

Ce n'est pas forcément facile d'aller vers les autres mais il n'est pas nécessaire non plus de s'appeler Hancock pour réussir la mission. Respire, souffle un grand coup, dirige-toi vers un garçon qui a l'air sympa et engage la conversation : tu penses quoi de tel prof ? Tu écoutes quoi comme musique ? Après un échange de 2 ou 3 phrases, tu seras vite à l'aise.

Du savoir-faire

En début d'année, quand le prof principal demande à chacun de se présenter, expose ce qui te plaît : « Je m'appelle Hugo, j'ai 12 ans, j'adore le rock, et je suis un dieu sur PSP®, surtout à *Medal of Honor Heroes 2*. » À la récré, sois tranquille, des garçons de ta classe vont venir te brancher sur tes passions.

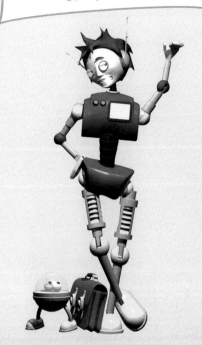

Les secrets et toi

Face aux secrets tu es: comme une carpe, muet;

comme une pie, parfois bavard;

comme un perroquet, tu répètes tout?

1. Matthieu te confie ses sentiments pour Léa...

Ⓐ Tu as déjà oublié le nom de la copine.

Ⓑ Sans trahir, tu demandes à Léa ses sentiments pour Yann.

Ⓒ Tu le dis à Jérémy, Paul et Karim, tu as confiance en eux.

2. Marie veut savoir ce que Théo t'a dit. Tu réponds :

Ⓒ Je te le dis si tu ne le répètes pas.

Ⓐ Tu peux toujours rêver.

Ⓑ Je ne te dirai jamais que Théo est amoureux de toi.

3. Kamel t'annonce qu'il compte tricher en géo...

Ⓑ Tu dis qu'il va tricher en maths pour faire diversion.

Ⓒ Tu rentres en classe en criant : « Hé ! vous savez quoi ? »

Ⓐ Tu sors ton flingue et tu dis : « Je t'couvre, mon pote. »

4. Sandrine veut bien t'embrasser si tu gardes le secret...

Ⓒ Tu demandes à Tatiana : « Je peux te montrer comment Sandrine embrasse ? »

Ⓑ Tu sautes en l'air en chantant : « Je ne vous dirai pas qui m'a embrassé. »

Ⓐ Tu fais bouche cousue, même pour le bisou.

5. Tu surprends Victoria et Léo alors qu'ils s'embrassent...

Ⓑ Tu racontes l'anecdote aux copains, mais tu ne donnes que les initiales.

Ⓐ Tu promets de ne rien répéter à la classe.

Ⓒ Tu ne peux rien promettre, tu as déjà envoyé 10 SMS aux potes.

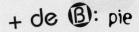

As-tu une majorité de Ⓐ, de Ⓑ ou de Ⓒ ?

+ de Ⓐ: carpe

On peut dire que tu es muet comme une tombe. Les secrets sont mieux gardés dans ta tête que dans un coffre-fort. Les potes peuvent te faire confiance.

+ de Ⓑ: pie

Bavard et un peu tête en l'air peut-être, les secrets s'envolent par ta bouche un peu trop facilement. Tu dois te trouver parfois dans de drôles de situations.

+ de Ⓒ: perroquet

Aussitôt dit, aussitôt répété. Tu es champion de vitesse pour divulguer un secret. Quand tes copains veulent connaître les potins de la classe, ils savent qui interroger.

Une copine comme meilleur copain

Un garçon et une fille amis, ça peut paraître bizarre. Les gars jouent au foot et aiment la bagarre, les filles préfèrent la mode et les histoires d'amour. Un peu réducteur, non ?

⭐ **Ils ont des points communs**

Le foot n'est pas réservé aux gars ni la mode aux filles. Mais surtout, tes sentiments n'ont rien à voir avec le sexe de l'autre ni même sa couleur ou son âge. On est attiré par les talents d'une personne, ses qualités, sa façon d'être. Et cet ensemble donne envie d'être son ami. Peu importe alors qu'il s'agisse d'un garçon ou d'une fille.

⭐ **Les garçons qui sont toujours avec les filles sont un peu efféminés. C'est archifaux.** Les différences attirent souvent plus que les ressemblances. Compare-toi à tes copains et tu verras que vous n'êtes pas si semblables que tu le penses. L'amitié avec une fille n'implique pas que tu deviennes efféminé. Tu trouves juste chez elle une façon différente de vivre qui te séduit et te donne envie de la côtoyer. Tu n'as pas envie qu'elle soit ta petite amie, mais tu prends plaisir à passer du temps à ses côtés.

> Je m'entends vraiment bien avec une fille que j'ai connue en 6e. Elle adore les jeux vidéo, le foot, et on joue tous les deux du piano. Parfois, on joue à 4 mains, c'est génial.
>
> **Baptiste, 14 ans**

⭐ **Un peu comme frère et sœur**

L'amitié entre deux personnes de sexes opposés ressemble à une relation fraternelle. La fille peut y trouver la protection d'un grand frère et le garçon la tendresse d'une sœur. L'amour n'entre pas en ligne de compte. Il s'agit d'un équilibre. Tu peux aimer une fille simplement pour sa façon d'être et de penser, parce que tu te sens bien à ses côtés et sans ressentir de sentiments amoureux.

L'amitié et la jalousie

La jalousie n'est pas juste une affaire de jeunes. Les adultes aussi éprouvent ce sentiment. Garçons, filles, petits et grands ressentent cette émotion. Et souvent la jalousie entraîne les disputes.

J'ai un copain qui est toujours jaloux de ce que j'ai. Un jour, il m'a même piqué mon stylo Spiderman. Je sais que c'est lui. Maintenant, on ne se parle plus.

Yanis, 12 ans

Tu es jaloux de ce que tu n'as pas : un objet, un jouet, un livre, des parents cool. Tu peux envier un copain parce que sa vie a l'air simple, que ses parents ne se disputent pas, qu'ils ne sont pas divorcés ou encore parce qu'il part en vacances et pas toi.

Sous le capot de la jalousie, un moteur ?

Être jaloux est normal, mais on peut transformer ce sentiment en un vrai moteur dans la vie. Nicolas a un super-iPod Touch et ça te rend envieux ? Tu n'as peut-être pas la chance que quelqu'un t'en offre un. Mais qui t'empêche de gagner un peu d'argent pour économiser et te l'acheter ? Rends des services autour de toi, revends tes vieux jouets dans une brocante. Il existe forcément un moyen d'acquérir cet objet. Tu dois simplement te motiver. Et c'est en cela que la jalousie peut avoir du bon. Plus tard, tu seras fier d'avoir payé toi-même ton lecteur.

La jalousie envers ta petite amie

Anna, ta petite amie, adore s'amuser et danser. Ça te rend jaloux, tu as l'impression que tous les garçons la regardent et tu as peur de la perdre. C'est une autre facette de la jalousie. Ça prouve que tu tiens à elle, mais attention, ta copine n'est pas un objet. Elle est avec toi parce qu'elle t'aime. Mais si tu l'ennuies trop, elle risque de partir. Alors, fais-lui confiance et laisse-la danser.

L'ancêtre du mot jalousie vient de l'italien *gelosia* qui désigne un voile en fils tressés. Les femmes portaient cette *gelosia* pour se soustraire aux regards des hommes. C'était peut-être un mari jaloux qui le leur demandait.

Dois-je tout dire à mon meilleur ami ?

Ton ami est ton confident. Tu lui racontes tes malheurs et tes joies, tu te confies à lui pour te soulager tout en sachant que tu ne seras pas trahi. Mais certains secrets n'ont pas besoin d'être partagés et d'autres ne doivent pas être gardés. Tout dépend de leur gravité.

> Quand mon père a perdu son boulot, c'était l'horreur à la maison. Je me suis confié à Fred, mon meilleur pote. Son père aussi était au chômage. On en a beaucoup parlé, ça nous a soulagés. On ne l'a jamais dit à personne.
>
> **Augustin, 12 ans**

⬤ **Ce que tu peux dire et ce qu'il ne faut pas dire**
Tu as un peu triché en maths, tu as découvert une cachette ou une cabane pour jouer, tu connais un point de vue terrible pour observer une voisine… Tous ces secrets, tu peux les partager. C'est plutôt rigolo et l'amitié sans secrets ne serait plus vraiment l'amitié.

Cela dit, ton pote Matthias n'est pas obligé de tout savoir sur ta vie. Tu as aussi ton jardin secret. Ta sœur est malade ou bien ton père est au chômage ? Tu n'es pas tenu d'en parler. En revanche, si tu en ressens le besoin, parce que tu es inquiet, parce que tu y penses trop souvent, délivre ton secret à ton meilleur ami, celui en qui tu as toute confiance et qui ne répétera jamais rien à personne.

⬤ Les lourds secrets qu'il ne faut pas garder

Certains sujets sont trop graves pour être gardés secrets. Si tu as été témoin d'une agression, ne le garde pas pour toi. Tu peux en parler à ton ami, mais ne lui demande pas de garder le silence. Il vaudrait même mieux que vous alliez voir un adulte pour expliquer les faits.

Il se peut aussi que ton ami te révèle une information grave. Même si tu as donné ta parole, tu dois en parler à un adulte. Par exemple, si Jonathan décide de fuguer et t'en parle, tu ne peux pas garder ce secret pour toi. La chose est trop importante. De la même façon, si un copain t'avoue subir des maltraitances, tu dois le révéler au plus vite à un adulte de confiance.

> Un jour, mon pote Quentin m'a dit qu'il voulait faire une fugue. Il pensait que ses parents n'en avaient rien à faire de lui. Quand j'ai vu qu'il allait vraiment partir, je l'ai dit en cachette à sa mère. Elle lui a parlé et tout a fini par s'arranger.
>
> **Benoît, 13 ans**

> Deux de mes amis avaient décidé de piquer de l'argent à un garçon de ma classe. Ils m'ont mis dans la confidence. J'étais contre cette idée mais j'étais coincé par le secret. Finalement, je leur ai dit que s'ils passaient à l'action, je ne serais plus leur copain. C'était risqué mais ils ont abandonné l'idée et je n'ai pas trahi leur confiance.
>
> **Dimitri, 14 ans**

⬤ Si le doute te prend

et que tu ne sais pas mesurer la gravité d'un secret, pose des questions déguisées autour de toi : « Si un élève fait ce genre de choses… C'est grave ou pas ? » Tu peux aussi appeler le numéro vert gratuit et anonyme de Croix-Rouge Écoute : 0 800 858 858. Tu peux poser toutes les questions que tu souhaites : « Mon ami parle de fugue, que dois-je faire ? » Ou bien : « Mon copain m'a montré ses bleus sur le corps, qu'est-ce qu'il faut faire ? » Ainsi, tu trouveras des solutions sans vraiment trahir ton ami et tu te déchargeras d'un secret trop lourd.

Témoignages de copains

Être copains, c'est partager des moments inoubliables.
Voici quelques témoignages.

L'an dernier, on a organisé un match de foot contre les profs du collège. Ils pensaient gagner haut la main, mais on les a écrasés : 5-0. C'est un supersouvenir, on en rigole avec les copains chaque fois qu'on y pense.

Victor, 13 ans

Notre prof de gym a voulu nous initier au base-ball. On a fait sport dans la cour et moi, sans faire exprès, j'ai cassé un carreau en lançant la balle. La crise de rire, avec les copains, quand le prof s'est fait disputer par le directeur.

Benjamin, 10 ans

Avec mon meilleur copain, l'an dernier, on s'est amusés à écrire des lettres d'amour anonymes à une fille de ma classe. Elle n'a jamais trouvé qui lui écrivait et nous, on s'est marrés pendant un trimestre.

Sergio, 14 ans

Avec mes copains et l'aide de mon père, on a construit une caisse à savon. C'est comme ça qu'on appelle les caisses en bois, avec roues et volant. On a fait des descentes à fond de train et on a même participé à un championnat régional. On a perdu, mais on s'est vraiment éclatés.

Bruno, 11 ans

Il y a 2 ans, avec mes 5 copains, on a monté une équipe de paintball. Et depuis, on fait des rencontres contre d'autres équipes. Nous, on est très forts parce qu'on est supersoudés.

Karl, 12 ans

Quand j'ai perdu mon chien, je me suis rendu compte que j'avais un véritable ami : mon pote Xavier. Il connaissait bien mon chien et il a vraiment partagé ma peine.

Yannick, 14 ans

Je me souviens de ma première boum. Matthieu et moi on avait l'air trop nul. Même en rêve on n'aurait pas invité une fille. Et puis, il y en a une qui est venue parler à Mat, il s'est tiré en courant.

Fabrice, 14 ans

Mon pote Gauthier et moi, on a inventé la recette du gâteau d'Halloween. On l'a cuit et on l'a fait goûter à tout le monde à la soirée. Dedans, on avait mis plein de trucs dégoûtants et même des araignées mortes. Il y a même une fille qui a vomi quand on lui a précisé les ingrédients.

Théodore, 12 ans

Au primaire, j'avais un superpote qui a déménagé. Dans son jardin, on avait construit un vaisseau spatial de la mort et on s'est inventé des centaines d'histoires. J'ai adoré cette année-là.

Franck, 13 ans

Avec Manu, mon pote de toujours, on va à la pêche aussi souvent qu'on peut. Un jour, on a attrapé un poisson tellement énorme qu'on a été pris en photo dans le journal local avec la bête. On était superfiers ! On a gardé l'article et, des fois, on le relit pour se faire plaisir.

Vincent, 11 ans

Au centre aéré, on a tourné un film de science-fiction. Moi, j'étais un alien qui devait mourir. On m'a mis plein de ketchup partout pour faire le sang. C'était carrément génial.

Abdel, 12 ans et demi

Pendant les vacances, je vais chez ma grand-mère à la campagne. Là-bas, j'ai un pote génial, Joachim. L'année dernière, son père lui a prêté son télescope. On a passé des soirées incroyables à observer les étoiles !

Samuel, 13 ans

Mes parents n'aiment pas mes amis

Quelle influence tes amis ont-ils sur toi ?

Regarde un peu en arrière. Travaillais-tu mieux avant de connaître Kevin ? Ta moyenne a-t-elle chuté ? Étais-tu plus serviable avant de rencontrer Fred ? Compare ta vie avant et après tel ou tel ami. Il n'est pas facile d'être objectif mais si tu admets que tu as changé, tu comprendras peut-être pourquoi tes parents s'inquiètent.

La fréquentation d'un ami peut être bonne ou mauvaise pour toi sans que tu t'en rendes compte au début. Tu es peut-être devenu bagarreur depuis que tu fréquentes Boris, il t'a fait fumer, ou il t'incite à sortir, à faire du scooter ou à devenir frimeur. Tes parents ont une vue extérieure de ta relation et veulent juste te prévenir des risques d'une mauvaise influence.

> Quand j'ai un nouveau pote, mes parents aiment bien le rencontrer, par exemple à la sortie de l'école. Je crois que ça les rassure. Quand ils l'ont vu, ils m'autorisent des balades avec lui mais pas avant.
>
> **Eddy, 13 ans**

Pourquoi tes parents sont-ils préoccupés ?

Tu grandis et tes parents ne s'en rendent pas vraiment compte. Ils ont tendance à te protéger, ils veulent savoir qui tu vois, avec qui tu échanges des idées. À la préadolescence, tu risques d'être plus influencé par un garçon de ton âge. Pour tes parents, autant que ce soit un copain plutôt poli et travailleur.

Tu crois qu'ils se trompent ?

C'est possible. Ils peuvent être trompés par le look de ton ami. Max est peut-être le premier de la classe, mais son style gothique effraie tes parents ! À toi de leur démontrer la bonne influence de ton copain. Arrange-toi pour qu'ils discutent un peu ensemble.

L'AVIS DE L'EXPERT

Attention si ton ami fait baisser tes résultats scolaires, qu'il te pousse à voler ou à faire des choses « interdites », c'est normal que tes parents s'inquiètent. Et ils ont raison. Essaie de prendre un peu de recul.

Sylvie Companyo, psychologue

Ton ami peut-il compter sur toi ?

Oui à fond, un peu, pas trop.

1. En sport, après la douche, Alexis cherche son slip :

Ⓐ Tu t'empresses de le lui balancer.

Ⓑ Si tu le rencontres sous un banc, tu lui donnes.

Ⓒ Tu le jettes dans le vestiaire des filles.

2. Franck est collé par ta faute...

Ⓑ Si ses parents râlent, tu leur expliqueras.

Ⓒ Il ne va quand même pas pleurer pour une heure.

Ⓐ Tu te dénonces au prof.

3. Jamel est dingue amoureux de Sophie mais très timide...

Ⓒ Tu as assez à faire avec Blandine qui te plaît beaucoup.

Ⓐ En présence de Sophie, tu fais toujours l'éloge de Jamel.

Ⓑ Si Sophie te parle de lui, tu en diras du bien.

4. Ta classe part à Londres, sauf Jérôme car ses parents s'y opposent...

Ⓑ Tu en parleras à ta prof d'anglais, quand tu auras le temps.

Ⓐ Tu fais signer une pétition par toute la classe.

Ⓒ Tu promets de lui envoyer une carte postale.

5. Léo a planté grave son ordi...

Ⓐ Avec ton marteau, tu voles à son secours.

Ⓒ Il y en a des pas chers au supermarché.

Ⓑ Tu peux lui prêter le tien mais pas tout de suite.

As-tu une majorité de Ⓐ, de ℬ ou de Ⓒ ?

+ de Ⓐ : à fond

Avoir un ami comme toi, c'est vraiment cool. Tes potes peuvent compter sur ton aide jour et nuit.

+ de ℬ : un peu

Dès que tu en as l'occasion, tu dépannes les potes, mais si tu ne peux pas, ce n'est pas grave. Pas question de se prendre la tête.

+ de Ⓒ : pas trop

L'amitié pour toi c'est d'abord la « déconnade ». Rendre service, ouais, mais si tes potes peuvent faire sans toi, c'est mieux. L'essentiel, c'est qu'ils le sachent.

Évite la baston

Tu n'es pas bagarreur,
mais il y a des fois...
Astuces pour ne pas céder.

La bagarre ne règle jamais le problème

Tu n'es pas d'accord avec un gars de ta classe ? Inutile d'argumenter à coups de châtaignes, il ne changera pas d'avis. De toute façon, il a le droit de penser différemment. On t'a volé de l'argent ou un objet précieux ? Il n'est pas nécessaire de sortir les poings. Sais-tu d'ailleurs qu'en France il est interdit de se faire justice ? C'est même puni par la loi.

Va voir un surveillant ou un autre adulte

On va te traiter de cafteur ? Oui c'est sûr. C'est pour t'inciter à ne prévenir personne. Alors ne tombe pas dans le panneau et cours chercher quelqu'un pour régler le différend.

On m'a volé ma trousse en classe. Je savais qui c'était. Je suis allé lui parler mais il ne voulait rien savoir. Une copine est intervenue. Elle a discuté avec le voleur et il a fini par lui rendre ma trousse. C'était sympa de la part de Léa.

Mamadou, 10 ans

Ne t'occupe pas des insultes,
le voleur doit être réprimandé et l'argent doit revenir dans ta poche. Si le pion est un peu trop jeune ou maladroit pour intervenir, parles-en à tes parents.

Autour de toi, certains garçons aiment la bagarre.
Ils vivent peut-être dans un milieu violent où l'on s'exprime en tapant. On te cherche des crosses ? Refuse la baston. Ta bande de copains peut y aider. Tout d'abord parce qu'ils sont prêts à te défendre, ce qui devrait faire réfléchir le querelleur. Aussi parce qu'ils peuvent simplement s'interposer entre vous deux.

Dans tous les cas, privilégie la parole

De nombreuses fois, parler désamorce le conflit. C'est encore plus essentiel si tu es seul. Exprime-toi doucement, sans lever la voix. Tu seras surpris de constater que le garçon va probablement se calmer. Si les choses tournent vraiment mal et si tu n'as pas le temps d'aller voir un pion, garde le bagarreur loin de toi, quitte à te sauver. Ce n'est pas être lâche que de refuser de se battre. C'est plutôt faire preuve d'intelligence.

C'est toi qui cherches la bagarre ?

Une dispute, ça arrive de temps en temps. Mais si elles reviennent trop souvent, tu dois te poser des questions pour éviter au mieux les explosions.

Avec une personnalité en pleine construction, c'est normal que tu poses tes limites. Les disputes surviennent un peu à cause de ça. Et puis souviens-toi… Les hormones sont toujours en action et elles perturbent pas mal tes humeurs. Tu ne sais pas encore dire non posément, certaines situations te mettent mal à l'aise et c'est l'explosion, la dispute. Les gars de ta classe et toi, vous êtes différents, et chacun cherche à imposer son point de vue. Mais il n'est pas toujours facile de s'expliquer. Et c'est à ce moment-là que tu finis par lâcher des méchancetés.

Il faut que tu apprennes à accepter l'idée que les autres pensent autrement que toi. Il n'est pas nécessaire de les convaincre à tout prix. Et même si tu sais que tu as raison sur un sujet, ce n'est pas grave, les autres peuvent rester dans l'erreur. Ce n'est pas ton problème. Si Victor te traite de menteur quand tu dis que *chin chin* en japonais veut dire « zizi », ça ne vaut pas une dispute. Il apprendra un jour que tu avais raison.

Pour éviter de te disputer :

🌀 Apprends à te connaître et sens monter la colère pour mieux la stopper.

🌀 Ne sois pas méchant dans tes propos.

🌀 Ne cherche pas forcément à convaincre.

🌀 Ne te renferme pas sur toi pendant la discussion, reste ouvert.

🌀 Dis franchement ce que tu penses et si tu peux d'une façon calme.

🌀 Sois diplomate, tes idées passeront mieux si tu es calme.

On est amoureux de la même fille

Votre amitié est à toute épreuve.
Aucun missile ne peut en percer le blindage,
sauf peut-être le missile... fille.

Panique à bord, c'est une vraie bombe. Personne ne lui résiste, surtout pas toi, surtout pas ton ami. Y a-t-il une parade ?

♥ D'abord, es-tu vraiment amoureux ou la trouves-tu juste jolie ? Tout de même, ce serait dommage de vous disputer. Évidemment, si vous en êtes dingues tous les deux, il risque d'y avoir de la bagarre. Et si ton ami sort avec la belle Virginie, vous ne serez peut-être plus copains.

♥ La solution des vrais amis : oublier la princesse. Des filles gentilles et jolies, il en existe des tas, alors pourquoi risquer de perdre un superami ?

♥ Vous pouvez attendre que Virginie se manifeste. Mais elle se décidera peut-être pour un troisième garçon. Comme ça, pas d'histoires. Si c'est toi, tant mieux, mais si c'est ton copain, sois beau joueur et ne lui fais pas de vacheries dans le dos.

Avec mon copain, ça ne risque pas de nous arriver, les filles on s'en fout. Elles sont trop bêtes. Un copain c'est mille fois mieux qu'une amoureuse.

Théo, 10 ans

Il m'est arrivé l'inverse. Deux copines étaient amoureuses de moi. Je ne te dis pas la tête des copains. Moi, j'étais amoureux des deux. Et elles ne se sont même pas disputées.

Hugues, 12 ans

Je voulais que Fiorina devienne ma copine. J'en ai parlé à mon pote Momo et lui, il s'est dépêché de sortir avec elle. C'est plus mon pote maintenant. On est fâchés.

Valentin, 14 ans

L'amitié et la compétition

Tu es en compétition avec ton meilleur ami :
vous vous entraidez, vous êtes réglo
ou bien tous les coups sont permis ?

As-tu une majorité de Ⓐ, de Ⓑ ou de Ⓒ ?

1. Contrôle de maths...
Ⓑ Donnant, donnant, il t'aide, tu l'aides.
Ⓒ Tu lui files des mauvaises réponses.
Ⓐ Tu le laisses regarder ta copie.

2. Vous aimez la même fille...
Ⓐ Vous lui achetez une boîte de chocolats à deux.
Ⓑ Chacun tente sa chance.
Ⓒ Tu divulgues une photo de lui à 3 ans.

3. Au tennis, tu es en finale contre ton ami :
Ⓑ Faut pas mélanger le sport et l'amitié.
Ⓐ Vous êtes tous les deux très ennuyés.
Ⓒ Tu coupes une corde de sa raquette.

4. Pour les élections de délégués, ton slogan est :
Ⓑ Votez pour le meilleur : moi.
Ⓒ Fred est un naze.
Ⓐ Fred et moi contre l'esclavage scolaire !

5. Il n'y a qu'une place à côté de Caroline...
Ⓑ Vous tirez à la courte paille.
Ⓒ Tu laisses la place en y glissant un coussin péteur.
Ⓐ Vous allez vous asseoir de chaque côté de Myriam.

+ de Ⓐ : vous vous entraidez

Ce n'est pas la compète qui va vous séparer. Dans la vie, on réussit plus facilement avec l'aide des potes et vous l'avez compris.

+ de Ⓑ : réglo

Si on doit être le premier, autant l'être. Il n'y a pas de honte à gagner quand on est réglo, même face à son meilleur copain.

+ de Ⓒ : tous les coups sont permis

Je comprends que tu veuilles gagner, mais n'y va pas trop fort dans les coups bas. C'est quand même ton ami qui est en face, pas vrai ?

Fais la paix, la méthode

L'orage est passé mais le soleil tarde à revenir.
Découvre les astuces pour le faire réapparaître.

Toi le premier

Après une dispute, tu n'as pas forcément envie de revenir vers ton ami. C'est vrai, pourquoi toi le premier ? Pose-toi plutôt la question de savoir si ça vaut le coup de « flinguer » votre amitié pour une dispute. Si François t'énerve vraiment depuis la querelle, laisse tomber. Mais sinon, repense un peu aux bonnes parties de rigolade que vous avez passées ensemble et va lui serrer la main demain matin avec un : « Bon, on oublie tout ! »

Dois-tu t'expliquer ?

Il n'est pas toujours facile ni obligatoire de le faire. En laissant un peu de temps passer, ton copain et toi, vous allez sûrement vous réconcilier sans réelles explications. Mais si tu as vraiment quelque chose sur le cœur, dis-le sans te mettre en colère. De toute façon, un de vos copains se chargera sûrement de vous rapprocher : « Allez les gars, faites la paix, qu'on aille s'amuser ! »

Ne sois pas trop fier

Ce n'est pas une honte de reconnaître ses torts, au contraire, c'est une preuve de courage. Un peu d'humilité : si tu n'as pas été cool avec ton ami, admets-le. Au moins, ton copain verra que tu es honnête et que tu tiens à lui.

90

Mon meilleur copain déménage

Je sais, tu flippes. Je connais le problème, j'avais un copain processeur, on l'a installé dans un avion : je ne le vois plus beaucoup. Il n'empêche qu'il existe toujours des solutions et quand l'amitié est forte, elle résiste au temps et aux kilomètres.

La vie moderne te permet de rester facilement en relation. À commencer par Internet. Si tes parents sont connectés, demande-leur de te laisser une boîte mail. Les fournisseurs d'accès offrent la possibilité d'en avoir 5 ou 10. Sinon, tu peux t'en créer une en allant à la poste ou dans un cybercafé. Tu accéderas à Internet avec une carte téléphonique. Sur www.laposte.net, tu peux te créer une adresse gratuite.

Si tu as Internet chez toi, vous allez pouvoir rester en contact serré. Certains logiciels gratuits pour PC ou Mac permettent de s'écrire et de se répondre instantanément. Avec l'un d'eux, Skype, on peut même se parler si on a un micro et des haut-parleurs. Les communications sont gratuites car elles passent par Internet. Tes parents vont être ravis, surtout si ton copain déménage

> J'ai déménagé 3 fois en 4 ans et je suis toujours resté en contact avec mon meilleur copain. Pourtant, je n'avais pas Internet au début. Mais les lettres, c'est sympa, parce que tu peux mettre des photos que tu as découpées, des articles qui intéressent ton ami...
>
> **Julien, 11 ans**

à l'étranger. Enfin, si tu as une webcam, c'est parti pour une visioconférence avec le même logiciel. Va sur www.skype.fr et laisse-toi guider.

Quel que soit le moyen choisi : lettres, téléphone, mails ou SMS, l'amitié tiendra bon si au fond de ton cœur tu ne veux pas perdre ton cher ami.

Si tes parents sont d'accord, tu peux l'inviter quelques jours durant les vacances ou aller chez lui. Tu vois, rien n'est perdu, les choses seront juste un peu différentes.

Ta bande de copains

Peu importe le nombre de copains, si vous êtes plus que deux, tu fais partie d'un vrai clan. Le plus fort et le plus ingénieux évidemment. Une bande est une véritable famille. Toucher à l'un de vous dans la cour de récré c'est toucher toute la bande. Et là, attention, ça va faire mal. Tu as oublié de faire tes devoirs, pas de problème, dans le groupe de copains, il y en a toujours un pour te passer son travail. Un grand te cherche des noises, la bande est là !

Donne vie à ton clan

Cela fait plusieurs mois que vous « traînez » ensemble. Pas de doute, vous formez une vraie bande. Pourquoi ne pas l'officialiser ? Et si tu trouvais un nom pour le clan ? Organise la première réunion chez toi ou chez un copain. Regroupement interdit aux personnes extérieures, ça va de soi.

Thème de la réunion : nommer le clan. Par exemple le gang des « X-Mecs », le clan des « biker-boys » ou les « space-gamers » ou encore les « Mecs in Black ». Attention, le nom du clan doit plaire à la majorité.

La bande et les autres

Tu fais partie d'une bande de copains et vous faites plein de choses ensemble, c'est vraiment chouette. Mais ton clan ne doit pas t'empêcher d'avoir d'autres relations. Peut-être que Sandro ne fait pas partie du groupe parce qu'il n'est pas accepté ou qu'il se sent mal en bande ? Mais si toi tu l'aimes bien, n'hésite pas à le voir en dehors. Et si un autre copain veut rejoindre votre groupe, ça vaut le coup d'en parler à plusieurs. Vivre en bande, ça ne veut pas forcément dire vivre sans les autres.

Les activités du clan

Autour de la musique

Que vous soyez ou non musiciens, le groupe peut parfaitement se réunir autour de la musique. Hors réunion, un des membres peut être chargé de suivre l'actualité d'un groupe de rap pendant qu'un autre recherche des morceaux sur Internet, et un troisième des bons plans pour s'habiller fashion et pas cher. Lors de la table ronde, échangez vos trouvailles. Évidemment, si certains jouent de la musique, vous pouvez monter un groupe. Ceux qui ne jouent pas se chargeront d'organiser des concerts et de promouvoir le groupe, de trouver des groupies, etc.

La tribu des sportifs

Votre truc, c'est le foot ? Génial, vous allez pouvoir mettre en place des entraînements et des parties contre des copains ou des voisins. Pourquoi ne pas vous faire une cagnotte en gagnant de l'argent de poche, pour vous acheter un ballon collector ou des maillots de votre équipe préférée.

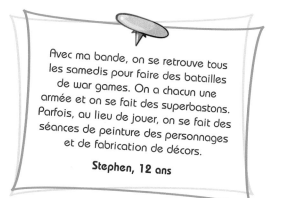

Avec ma bande, on se retrouve tous les samedis pour faire des batailles de war games. On a chacun une armée et on se fait des superbastons. Parfois, au lieu de jouer, on se fait des séances de peinture des personnages et de fabrication de décors.

Stephen, 12 ans

Les furieux de l'écran

On vous appelle le clan des canapés ? D'accord les gars, le sport n'est pas votre truc. Vous préférez les jeux d'arcade. Qu'à cela ne tienne, réunissez toutes vos consoles et celles des autres copains pour organiser une mégarencontre. Fixez un prix de participation peu élevé qui servira à offrir un jeu au vainqueur. Puis lancez le tournoi. Tout joueur passera par chaque atelier : *Super Mario, Sonic, Call of Duty 4, Far Cry, Crysis*… Totalisez les points ou les temps records et nommez le vainqueur.

Ah ! L'amour !

Ton estomac est noué, tu perds l'appétit, tu flottes au-dessus du sol…
Ne cherche pas plus loin : tu es amoureux. Oui, mais elle ?
Comment lui dire ? Comment lui plaire ? Est-elle amoureuse de toi ?
Tu voudrais savoir comment ça marche, une fille ?
Ton pote le robot t'imprime tout de suite le mode d'emploi.

Prêt ?   Allons-y !

C'est quoi l'amour ?

*On pourrait essayer d'apporter
une explication scientifique du coup
de foudre, mais est-ce bien nécessaire ?*

« Tout est mystère dans l'amour. »
Ce n'est pas moi qui le dis, c'est Jean
de La Fontaine dans sa fable : *L'Amour
et la Folie*. L'amour arrive souvent quand
on ne s'y attend pas. Il se vit, se ressent,
tout simplement. C'est une attirance très
forte pour une personne avec laquelle
on a soudain envie de partager des choses
simples comme des balades, un cinéma,
un concert… Quand on est amoureux,
on voudrait faire des tas de choses avec
la fille qu'on aime, on est prêt à tout
pour lui plaire, on a brusquement des
ailes. Pour que tu te fasses une idée de
ce sentiment, j'ai demandé à des copains
ce qu'ils pensaient de l'amour.

❤ Ça fait 2 ans que je suis avec la même fille. On est amoureux. On ne sort pas souvent ensemble à cause de ses parents et on est malheureux quand on est loin l'un de l'autre. C'est comme ça l'amour, c'est quand l'absence de la fille te rend triste.

Stéphane, 14 ans

❤ La première fois que j'ai vu Sarah, j'ai eu un pincement au cœur. Le lendemain, j'étais heureux d'aller à l'école. J'avais l'impression de peser 20 grammes.

Franck, 12 ans

❤ Je pense qu'on est amoureux quand on a l'impression que tout va bien quoi qu'il arrive. On ramasse un zéro et on a quand même envie de chanter ! **Tony, 13 ans**

Même si, à ton âge, on n'aime pas comme les adultes, ce que tu éprouves n'est pas moins fort ! L'amour, c'est quoi ? Tu l'ignores encore. Tu as déjà du mal à te connaître, alors te dévoiler à une fille ! Surtout ne brûle pas les étapes, donne-toi le temps de faire des « expériences ». Et sois rassuré : oui, tu es digne d'être aimé, c'est sûr.

Sylvie Companyo, psychologue

Es-tu prêt à tomber amoureux?

À fond,
faut voir
ou pas du tout…

As-tu une majorité de Ⓐ, de Ⓑ ou de Ⓒ?

1. Caroline n'arrête pas de te sourire en cours, tu penses…

Ⓐ Qu'elle a sûrement un truc coincé entre les dents.

Ⓑ Que c'est le moment de lancer une offensive.

Ⓒ Qu'elle te trouve sympa.

2. Pour toi l'amour c'est :

Ⓐ Un truc des filles pour t'empêcher de voir tes copains.

Ⓒ Pour plus tard peut-être.

Ⓑ Plus fort que l'amitié.

3. Ton meilleur pote t'annonce qu'il est amoureux de Clara…

Ⓒ Tant mieux pour lui.

Ⓐ Tu lui conseilles d'aller chez le médecin.

Ⓑ Tu trouves qu'il a carrément de la chance.

4. La Saint-Valentin…

Ⓑ Tu es pressé de la fêter.

Ⓐ C'est la fête des Valentin.

Ⓒ Ne te concerne pas pour le moment.

5. *Titanic* c'est :

Ⓑ Une belle histoire d'amour.

Ⓒ L'histoire d'un naufrage.

Ⓐ Trop lourd !

+ de Ⓐ: pas du tout

Les filles, d'accord, mais quand elles s'appellent Lara Croft et sur écran. Pour l'instant, l'amour ne t'intéresse pas et il n'y a rien d'anormal à ça. Chacun va à son rythme, et tu as le droit de préférer tes potes ou tes jeux aux filles.

+ de Ⓑ: à fond

Tu es prêt pour l'aventure amoureuse. Les balades main dans la main te tentent déjà. L'amour c'est super. Mais n'oublie pas le collège pour autant. L'amour et les devoirs sont conciliables. S'aider entre amoureux, c'est même plutôt chouette.

+ de Ⓒ: faut voir

Tu n'es pas contre une histoire d'amour mais tu ne la cherches pas. Tu es peut-être timide ou tu attends simplement que les choses arrivent. Prends ton temps. Il n'y a pas d'urgence à se trouver une copine, même si les potes en ont déjà une.

Fiche technique des filles

*Voici l'occasion pour toi de vérifier
si ta façon de voir les filles est juste ou non.*

✿ Les filles ne pensent pas qu'à trouver le prince charmant

Depuis qu'elles sont petites, les filles, pour la plupart, jouent à la poupée et aux histoires d'amour. Le premier cadeau qu'elles reçoivent est d'ailleurs souvent une poupée. Alors bien sûr, elles sont un peu conditionnées. Toi, tu aimes jouer à la guerre ou à la bagarre et éprouver ta force. Vous n'avez pas été élevés de la même façon. Elles te donnent l'impression de chercher un amoureux en permanence ? Il ne faut pas exagérer, heureusement, elles ont d'autres pensées et d'autres activités. Et si tu penses qu'elles sont plus à l'aise pour engager la conversation, ça n'est pas toujours le cas. Comme chez les garçons, certaines filles sont très timides.

> *Je n'ai pas vraiment envie d'avoir un petit ami pour l'instant. Les garçons ne m'intéressent pas. Et puis je fais déjà de l'escrime et du violon et je préfère passer le temps qui me reste à jouer avec mes copines.*
>
> **Agathe, 11 ans et demi**

✿ Les filles, peut-être un peu pipelettes ?

Le seul point sur lequel tu pourrais avoir raison est que les filles sont un peu bavardes, et encore, il ne faut pas généraliser. Tu penses qu'elles ont la tête en l'air et qu'elles parlent souvent pour ne rien dire ? As-tu déjà pris le temps de discuter seul à seul avec une copine ? N'hésite pas, tu seras surpris de voir qu'elle n'a ni le même discours ni la même attitude que lorsqu'elle est en groupe. À plusieurs, les filles, comme les garçons, sont un peu en vitrine et se surveillent. Toute seule avec toi, elle abordera beaucoup de sujets sans se moquer de toi. Sa façon de voir les choses sera forcément différente de la tienne et donc vraiment instructive.

Non, les filles ne pleurent pas pour un rien

Tu t'imagines que les filles sont de vraies fontaines, qu'il suffit d'un rien pour qu'elles se mettent à sangloter, qu'elles sont plus sensibles que les garçons ? Dis-donc Môssieur, tu n'as jamais pleuré toi ? Le seul qui ne verse pas de larmes ici, c'est moi. Et encore, c'est juste pour éviter la rouille autour des yeux, sinon je ferais comme tout le monde. La vraie différence entre les filles et toi, c'est leur habitude et leur aptitude à extérioriser leur tristesse. Elles ont d'ailleurs raison ; il est préférable de libérer tout ce qu'on a en soi : les chagrins, les rancœurs, les regrets… On se sent plus léger ensuite.

Les gars et les filles sont-ils trop différents pour s'entendre ?

Heureusement que les garçons ne ressemblent pas aux filles, comment pourraient-ils être complémentaires et s'apporter leur soutien ? Si beaucoup de filles discutent mode, vêtements, décoration, pendant que les gars parlent de sport et de jeux vidéo, ces divergences ne sont pas un obstacle à l'amour. Tu dois juste prendre en compte l'autre, l'écouter, le comprendre, te mettre à sa place, accepter son univers. C'est tout cela s'entendre, à condition que ta copine applique les mêmes conseils.

Et les garçons manqués ?

Ce sont de vraies filles qui aiment faire un peu tout comme les mecs. Ce n'est pas pour autant qu'elles ne sont pas féminines. Elles aiment simplement les activités un peu plus musclées que d'ordinaire. Elles discutent comme toi de foot ou de scooter et la mode ne les fait pas rêver. Elles ont simplement des goûts proches des tiens. C'est tant mieux pour toi, je suis sûr qu'elles vont pouvoir t'apprendre des choses. Et, dans le cas contraire, tu seras heureux de leur expliquer tes techniques de jeux ou de bricolage.

Je ne plais pas aux filles

Tu ne peux pas séduire toutes les filles.
D'ailleurs, toutes les filles ne t'attirent pas.
L'essentiel est déjà de charmer celle qui t'intéresse.

● Certains garçons sont entourés de filles en permanence, d'autres non. Il n'y a pas vraiment de raisons à ça.

● Il n'est pas rare que les filles s'intéressent aux garçons plus vieux, (redoublants ou grands d'une classe supérieure), soit parce qu'ils ont un peu d'expérience, soit parce qu'elles se sentent rassurées ou encore pour faire bien devant les copines.

● D'autres encore aiment les garçons au look très mode et ce n'est peut-être pas ton cas. Pas de panique.

L'AVIS DE L'EXPERT

À ton âge, tout le monde se demande : « Peut-on m'aimer ? » Et cette question t'angoisse sans doute encore plus si tu n'as pas d'amoureuse. Rassure-toi : l'amour viendra quand tu te sentiras prêt. Pour l'instant, tu n'as peut-être pas rencontré la fille qui te séduit ou à qui tu plais pour avoir avec elle une relation intime. Laisse faire le temps.

Sylvie Companyo,
psychologue

Les filles ne m'intéressaient pas trop au début et, un jour, une copine m'a invité au cinéma et m'a embrassé. Je croyais que c'était les garçons qui devaient faire ça. Mais, en fait, il n'y a pas de règle.

Thibault, 14 ans

Tu n'as pas encore croisé ta future copine mais ce n'est qu'une question de temps. Tu vas forcément rencontrer la fille de tes rêves, celle qui te correspond et avec laquelle tu t'entendras bien.

Est-elle folle de toi?

En amour, certains signes ne trompent pas. Pour savoir si elle t'aime, compte un point chaque fois que tu réponds oui.

- ✵ Chloé se dépêche de te faire la bise le matin.
- ✵ Elle rit dès que tu dis une bêtise.
- ✵ Elle téléphone chez toi sans arrêt.
- ✵ Elle t'a offert un cadeau à la Saint-Valentin.
- ✵ Elle te demande souvent de l'accompagner au cinéma.
- ✵ Elle aimerait bien assister à une de tes compétitions de sport.
- ✵ Elle te pose des questions sur toi et ta famille.
- ✵ Quelquefois, elle se retourne en classe pour te regarder.
- ✵ Elle rougit un peu quand tu lui parles.
- ✵ Elle vient te voir dès que tu es seul.
- ✵ Elle te fait des compliments sur ton look.

L'AVIS DE L'EXPERT

Lorsqu'une fille est attirée par un garçon, il n'est pas rare qu'elle se défende de ses sentiments en exprimant le contraire de ce qu'elle éprouve en lui adressant des qualificatifs vraiment pas sympas : c'est une sorte de jeu de cache-cache avec l'autre et avec ses propres émotions. Les jeux de l'amour comportent ainsi beaucoup de coquetterie !

Guy Thépaut, psychologue

Tu as entre :

7 et 11 points :

Si vous n'êtes pas encore ensemble, c'est que Chloé est un peu timide car elle te kiffe à mort. Je crois que tu peux lui faire ta déclaration sans risquer de prendre une veste. Si tu paniques, cours au chapitre « Comment dire je t'aime ? ».

4 et 6 points :

Tu as tes chances avec Chloé mais il vaut peut-être mieux avancer à couvert. Fais-lui comprendre qu'elle te plaît par des compliments et quelques attentions. Mais ne te jette pas sur elle comme un fou pour ne pas lui faire peur.

0 et 3 points :

Rien ne prouve que Chloé soit vraiment dingue de toi. Elle t'apprécie peut-être simplement comme ami. Tu peux toujours tenter de la séduire, après tout, elle n'a peut-être pas encore remarqué tes qualités cachées.

Opération séduction

Pas de recettes miracles pour les dragueurs dans ce chapitre, juste quelques notions logiques pour séduire la copine de tes rêves…

Stop !

À partir de maintenant, on ne tire plus les cheveux des copines, on ne cherche plus à les espionner dans les toilettes ni à voir leur culotte en sport et on arrête de se moquer et de glousser bêtement dans la cour de récré. Le ménage étant fait dans les mauvaises habitudes du primaire, passons au plan « O ».

« O » comme observation

Je ne dis pas que l'amour est comme la boxe, mais un round d'observation est tout de même essentiel. Ne te jette pas dans la bataille de la séduction sans vraiment connaître la fille qui te plaît. Assure-toi tout de même que tu es un peu son genre si tu ne veux pas te planter. En regardant évoluer l'élue de ton cœur, non seulement tu apprendras beaucoup de choses, mais elle risque fort de comprendre que tu t'intéresses à elle. Tends l'oreille et découvre ce qu'elle aime, sa couleur préférée, la chanteuse qu'elle adore… Si tu te décides, un jour, à lui faire un cadeau, tu ne tomberas pas à côté de la plaque. Imagine-toi lui offrir un CD d'Eminem alors qu'elle est fan de Lorie…

Mission secrète

Tes sentiments t'appartiennent et si tu ne veux pas manquer ta mission séduction, arrange-toi pour qu'elle reste secrète. Laisse Anna découvrir toute seule ton attirance pour elle. Ce n'est pas la peine qu'elle l'apprenne par tes copains ou ses copines. Si Anna ressent les mêmes émotions que toi, inutile de le faire paraître dans la gazette de l'école ou de l'écrire au tableau. Même si elle t'aime beaucoup, elle préférera, au moins au début, que votre histoire reste secrète. La règle d'or est donc la discrétion.

Comment dire je t'aime?

Tu en es convaincu, tu plais à Camille.
Tu voudrais lui dire « je t'aime ».
Comment le lui faire savoir?

À faire si tu veux prendre un râteau :

🔻 Déclarer ta flamme à Camille devant ses copines.

🔻 Lui demander directement :
« Hé, tu veux sortir avec moi ? »

🔻 L'embrasser par surprise.

🔻 Profiter d'une séance de cinéma pour lui toucher les seins.

À faire pour augmenter tes chances :

🔺 Être gentil et sincère avec Camille.

🔺 Avoir des attentions, comme lui offrir un stylo de sa couleur préférée.

🔺 Lui proposer ton aide dans les matières où tu assures.

🔺 L'inviter à une balade.

🔺 La faire rire.

> Pour sortir avec ma copine, je lui ai passé un dessin où deux fleurs se tenaient par la feuille, avec un gros point d'interrogation au-dessus. Elle a trouvé ça mignon et elle m'a rendu le dessin le lendemain avec une trace de bisou dessus.
>
> **Arnold, 13 ans**

> J'ai marqué « je t'aime » en russe sur un papier (j'avais trouvé la traduction sur le Net). Quand j'ai offert le mot à Laura, elle a dû attendre le soir pour comprendre. J'avais moins honte. Le lendemain, elle a répondu « moi aussi » en néerlandais.
>
> **Pierre, 14 ans**

Mille façons de dire « je t'aime » :

▶ Prends-lui la main pendant votre balade.

▶ Offre-lui une fleur.

▶ Dis-lui qu'elle est différente des autres.

▶ Fais-lui un compliment sincère, sur sa tenue ou ses yeux…

▶ Avoue-lui que tu te sens bien avec elle, tout simplement.

▶ Serre-la dans tes bras, sans chercher à l'embrasser.

Chagrin d'amour

🔵 **Elle ne t'aime plus, tu t'es fait larguer.** C'est un coup dur et ça fait très mal. Tu as l'impression que le monde s'écroule, d'être un gros nul, d'avoir tout gâché et que tu ne retrouveras jamais plus l'amour. Heureusement, tu te trompes.

Il va falloir essayer de te changer les idées. Dis-toi que le temps passe, il finira par effacer ton chagrin. Et en attendant, sors un peu, va voir tes copains. Ne reste pas dans ta chambre à broyer du noir. Fonce tête baissée dans ce que tu aimes pour oublier : le sport, la musique, les jeux…

🔵 **Tu te crois fautif ?** Mais non, il se peut que personne n'ait commis d'erreur, ni toi ni elle. Vous êtes peut-être allés trop vite et vous ne vous accordez pas si bien. Ou alors, vous vous plaisiez mais en vous découvrant chaque jour, elle a trouvé que tu ne lui convenais pas. Il faut du temps pour connaître l'autre, forcément, il y a toujours un risque de se tromper. Mais la vie continue. Rappelle-toi des meilleurs instants que vous avez vécus ensemble, considère-les comme des souvenirs agréables.

Et dis-toi qu'un jour, tu rencontreras la copine qui te correspond. Tu en vivras d'autres, des bons moments.

Ce n'est pas facile de penser à autre chose quand on a un chagrin d'amour. En revanche, ça permet de voir si tu as de vrais copains pour t'entourer et t'aider.

Grégory, 12 ans

🔵 **Tu es vexé car c'est elle qui a tout arrêté ?** C'est plutôt courageux de sa part. Ce n'est pas facile de dire à quelqu'un qu'on ne l'aime plus. Mais, surtout, ne cède pas à la méchanceté et ne lui lance pas de vilains mots à la figure. Ce serait le meilleur moyen de l'empêcher de revenir s'il restait une chance, et de te faire détester de ses copines et des filles de ta classe. Alors, si tu veux connaître à nouveau le grand amour, reste gentleman et ne te « grille » pas auprès de toutes les filles.

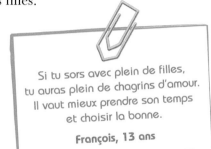

Si tu sors avec plein de filles, tu auras plein de chagrins d'amour. Il vaut mieux prendre son temps et choisir la bonne.

François, 13 ans

Tu es amoureux de ta meilleure amie

Comment le lui dire sans risquer de perdre son amitié?

Jade et toi, vous étiez les meilleurs amis du monde et voilà que tu tombes amoureux d'elle. Attention, tu avances en terrain mouvant. Avant toute chose, vérifie que vous êtes sur la même longueur d'onde. Es-tu certain qu'elle est aussi amoureuse de toi?

T'es vraiment mon ami... le seul à pouvoir m'aider à reconnaître le prince charmant...

As-tu mesuré ce que tu risques de perdre si ce n'est pas le cas? Vos relations ne seront plus les mêmes quand tu lui auras avoué tes sentiments. Aujourd'hui, Jade te dit tout parce que tu es un ami de confiance. Si vous sortez ensemble, elle sera différente avec toi. Ses confidences iront plus à ses amies. Et puis surtout, si votre histoire amoureuse ne dure pas, tu risques de perdre l'amoureuse et l'amie.

Au fond de toi, es-tu vraiment amoureux ou bien sortir avec Jade te paraît plus simple parce que tu la connais? Pose-toi un maximum de questions pour faire le bon choix. Si jamais elle te dit non, réussiras-tu à rester son ami? La décision finale t'appartient mais ne la prends pas trop vite. Teste doucement les sentiments de ton amie. Lance-toi seulement si tu es certain qu'elle éprouve autre chose que de l'amitié pour toi.

L'AVIS DE L'EXPERT

Être amoureux de sa meilleure copine... ou croire qu'on l'est, c'est bien pratique! Pourquoi? Parce que ça t'évite de prendre trop de risques. L'amour c'est le mystère, mais ta meilleure amie tu la connais bien, alors ça te fait un peu moins peur...

Sylvie Companyo, psychologue

J'étais amoureux d'une supercopine. En rigolant, je lui disais: «Plus tard, je t'épouserai.» Et comme elle répondait des trucs comme: «Cours toujours, jamais avec toi...», j'ai préféré ne pas prendre de risques et je suis resté son meilleur pote.

Arthur, 14 ans

Je préfère mes jeux

*Tes amis ont déjà des copines,
toi tu préfères ta console ou tes histoires.*

Rassure-toi, tu n'es pas le seul et tu es normal. Tu n'es pas prêt, voilà tout. Pour l'instant les filles ne sont que des voisines de classe et tu ne vois pas ce que tu pourrais leur raconter. Elles ont leurs histoires et leurs problèmes à elles. Mais as-tu pensé que certaines étaient comme toi ? Toutes les filles ne rêvent pas d'avoir un petit copain. Certaines les trouvent même idiots et s'en moquent. Elles consacrent leur temps à leurs passions, à leurs devoirs, à leurs amies.

Tu ne vas pas te réveiller un jour en te disant : « Tiens, les filles m'intéressent ! » La découverte de l'autre sexe prend du temps, se fait petit à petit, et surtout chacun à son rythme.

*Sylvie Companyo,
psychologue*

Ce n'est pas à 20 ans que je vais jouer avec mon petit frère et construire des cabanes. Alors j'en profite parce que ça me fait plaisir. Pour les filles, j'ai toute la vie devant moi.

Victor, 12 ans

Si j'étais tout seul à ne pas regarder les filles, je m'inquiéterais. Mais toute ma bande de copains est comme moi. Il n'y a que les redoublants qui draguent à mort.

Sacha, 11 ans

Chacun a son horloge interne qui modifie les comportements le moment venu. Retiens surtout que celui qui décide, c'est toi seul. Ne te laisse pas influencer par les copains. Si les filles te laissent indifférent, c'est comme ça et c'est ton droit.

Si certains garçons te mettent de côté parce qu'ils te trouvent « en retard », laisse-les tomber. Tu n'es sûrement pas le seul dans ta classe à bouder les filles. Pense d'abord à toi, ne te fie pas au jugement des autres.

Je suis attiré par un garçon, c'est normal?

Ce n'est pas ainsi qu'il faut te poser la question car, en amour, il n'y a pas de norme. Si tu es charmé par un camarade de classe, tu n'y peux rien. L'attirance n'est pas un choix. Si tu étais séduit par les filles blondes uniquement, tu ne te poserais pas de questions, tu penserais que c'est l'expression de ton goût propre. Mais le penchant pour un garçon te pose problème car tu as entendu des tas de choses pas toujours très gentilles.

Il se peut que cet attrait soit passager. Mais si tu sens au fond de toi que cette inclination perdure, c'est peut-être que tu préfères les garçons aux filles. Cela risque d'être difficile à vivre durant ta puberté et ton adolescence, car ça va être perçu comme une différence et pas toujours toléré. Mais rassure-toi, le temps aidant, tu pourras vivre plus sereinement cette attirance.

En attendant, continue de grandir en t'acceptant tel que tu es. Ne cherche pas à te comparer aux autres garçons. Tu n'as pas choisi d'être attiré par un garçon, tu ne dois donc pas culpabiliser. Et un jour, tu rencontreras celui qui t'aimera et que tu aimeras.

L'AVIS DE L'EXPERT

Un garçon qui éprouve une attirance pour un autre garçon n'est pas forcément homosexuel : il peut aussi aimer une fille en même temps ou après. L'attachement pour une personne peut s'exprimer d'une manière plus ou moins forte jusqu'à créer une confusion entre amour et amitié.
Si plus tard cette préférence se confirmait, il est important de ne pas se considérer comme anormal, ou malade. Cela peut t'aider d'aller en parler à un psychologue.

Guy Thépaut, psychologue

Ça y est, tu as une copine! Et maintenant?

Chouette, tu dois être supercontent, et je suis sûr que vous êtes heureux tous les deux. Découvre vite comment entretenir le feu de votre amour.

L'amour est un Tamagochi!

Il est vivant et, si tu ne le nourris pas régulièrement, il meurt. Pas question de donner du pâté à Élodie! Je parle de nourriture virtuelle: les bisous, la tendresse, les attentions, les câlins…

Les cris d'alarme

Les alertes sont parfois sonores. Tu risques d'entendre de temps à autre une voix plaintive et timide: «Tu ne t'occupes pas assez souvent de moi», ou bien «On se voit moins qu'avant»…
Ces signes sont la preuve que ton amour va mal. Ton comportement a peut-être changé. Au début, tu faisais des efforts pour séduire Élodie, et maintenant qu'elle est ta copine, tu préfères tes amis.

Ressaisis-toi vite, ou elle finira par ne plus être amoureuse.
Tu dois aussi être très attentif à son attitude. Elle est boudeuse? Elle sourit moins, retourne souvent voir ses copines, te dit à peine bonjour le matin? Oh! là, là! Il est urgent de nourrir l'amour.

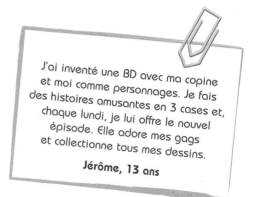

J'ai inventé une BD avec ma copine et moi comme personnages. Je fais des histoires amusantes en 3 cases et, chaque lundi, je lui offre le nouvel épisode. Elle adore mes gags et collectionne tous mes dessins.

Jérôme, 13 ans

Alimente votre amour

Pour séduire Élodie, tu as fait preuve d'imagination. Il faut continuer. Sois inventif et prouve-lui ton amour le plus souvent possible: petit mot doux dans le cartable, e-card, promenade surprise… Creuse-toi les méninges et trouve des idées pour la surprendre. Elle sera fière de raconter autour d'elle que son petit ami est toujours aussi amoureux et qu'il s'occupe très bien d'elle.

L'amour... Et mes copains dans tout ça?

Ta copine occupe une grande place dans ton cœur et dans ta vie. Quelle part laisser à tes amis?

Ta vie a changé depuis que tu sors avec Elsa

Tu fais plein de trucs nouveaux mais tu as l'impression de moins voir tes amis et tu as le sentiment qu'ils te boudent un peu. Ils sont peut-être un peu jaloux. Avant Elsa, tu passais ton temps avec eux, et aujourd'hui tu les délaisses un peu. Ce n'est pas que tu les aimes moins mais tu as envie d'être avec ta copine.

Tes vrais amis ont toujours répondu présent quand tu étais triste

Ce ne serait pas correct de les laisser tomber. Elsa est peut-être un peu trop possessive… Explique-lui que tes amis sont importants pour toi. Peut-être aussi que c'est toi qui t'enfermes tout seul dans ta relation amoureuse. C'est ton choix, mais fais attention de ne pas perdre tes amis. Ton histoire avec Elsa ne durera peut-être pas toujours et tu te retrouveras bien seul si tu ne les as plus. Surtout si tu as besoin d'eux pour te consoler.

Inversement, certains copains admettent mal que votre relation d'amitié change

Ils risquent de t'entraîner à délaisser Elsa. C'est à toi d'intervenir. Tu as le droit d'avoir une petite amie même si tes copains n'en ont pas encore. La difficulté consiste à partager ton temps entre amour et amitié et à expliquer tes choix à chacun. Mais rassure-toi, s'ils t'aiment vraiment, tes amis et ta copine comprendront. Tu peux aussi les amener à s'apprécier mutuellement et à faire ensemble des activités. Mais réserve des moments d'intimité pour ton histoire d'amour et pour tes copains.

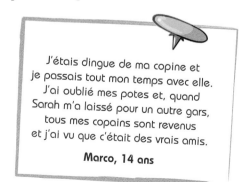

J'étais dingue de ma copine et je passais tout mon temps avec elle. J'ai oublié mes potes et, quand Sarah m'a laissé pour un autre gars, tous mes copains sont revenus et j'ai vu que c'était des vrais amis.

Marco, 14 ans

Sais-tu dire non gentiment ?

Oui, pas du *tout*

ou parfois maladroitement...

1. Nora te demande si ses nouvelles lunettes te plaisent. Tu réponds :

Ⓐ Non, je n'aime pas les verres cul-de-bouteille.

Ⓑ Elles te vont bien mais personnellement, je n'aime pas la couleur.

Ⓒ Elles sont belles mais pas sur toi.

2. Une fille voudrait que tu participes à un spectacle avec elle...

Ⓒ C'est non car tu seras malade ce jour-là.

Ⓐ Ben, justement, t'es pas une fille.

Ⓑ C'est non parce que tu te sens trop timide.

3. Tu refuses de passer le mot de Fiona à ton copain parce que :

Ⓐ Ce n'est pas marqué la poste.

Ⓒ Tu n'as pas le temps en ce moment.

Ⓑ Ce serait mieux qu'elle le fasse elle-même.

4. Julie veut partager sa glace avec toi...

Ⓑ Tu n'aimes pas ce parfum.

Ⓐ Tu lui proposes de garder ses microbes.

Ⓒ Tu préfères la glace de Noémie.

5. Alice meurt d'envie de t'embrasser...

Ⓑ Tu lui expliques que tu en aimes une autre.

Ⓒ Tu es pris pour les 10 ans à venir.

Ⓐ Tu lui donnes le numéro des urgences.

+ de Ⓐ : pas du tout

Tu ne sais pas dire non gentiment et tu ne fais aucun effort. On a l'impression que tu prends plaisir à être cinglant. N'oublie pas qu'un jour la même chose pourrait t'arriver. Tu comprendras alors que la méchanceté gratuite peut faire mal.

+ de Ⓑ : oui

Ce n'est jamais facile de dire non mais tu t'en tires très bien. C'est vrai, il suffit de dire la vérité avec gentillesse et l'autre peut tout comprendre. Tu peux aussi mentir un peu si ça aide à ne pas blesser.

+ de Ⓒ : parfois maladroitement

La difficulté de refuser t'amène à dire des bêtises que tu regrettes aussitôt. Essaie de prendre ton temps avant de répondre. Ou bien explique que tu dois réfléchir un peu.

Elle veut mais je ne veux pas

Oriane vient de te faire sa déclaration : elle t'aime.
Mais le hic, c'est que tu ne l'aimes pas.
Voici comment te tirer d'affaire.

Tu t'y attendais peut-être, depuis le temps qu'elle te regarde en coin. Elle vient de franchir le pas en dévoilant les sentiments qu'elle a pour toi. Pas de panique. Première chose à faire : gagner du temps. Oriane ne demande pas une réponse de suite. Dis-lui que tu es touché mais que tu as besoin de réflexion avant de t'engager dans une histoire. C'est sûr, elle comprendra. Ne parle à personne de sa déclaration. Elle ne mérite pas que les copains se moquent d'elle. Une fois chez toi, si tu n'éprouves rien pour cette fille, réfléchis à la meilleure façon de lui dire non. Pense à ce que tu aimerais entendre si tu étais dans son cas.

Si une fille veut sortir avec moi et que je ne veux pas, je lui dis que j'ai déjà une amie en dehors de l'école. Comme ça, elle est moins vexée.

Florient, 12 ans

Moi, les filles, je les jetais avant. Et puis, un jour, j'ai pris un râteau. La fille m'a dit qu'avec mes dents en avant, je n'avais aucune chance. Maintenant, je suis plus sympa.

Francisco, 13 ans

Voici quelques idées que tu peux creuser :
Explique-lui que tu ne ressens pas la même chose qu'elle et que tu préférerais la garder comme copine. Ou que les filles ne t'intéressent pas vraiment. Tu ne voudrais pas la rendre malheureuse.

Évite de le lui dire devant tes copains ou ses copines. Appelle-la chez elle ou écris-lui. À l'école, elle aura plus de mal à cacher sa tristesse.

Premier baiser

Quand on n'a jamais embrassé,
il est bien difficile de savoir si on sait le faire ou pas.

⭐ Tu paniques un peu ?

Rien de plus normal et, si ça peut te rassurer, ta copine n'est sûrement pas plus sereine. Tu as l'impression que ton amie va te juger. « Que va-t-elle penser de moi si je m'y prends mal ? » Tu te demandes aussi si tu vas aimer ou bien si elle va aimer. Ne te laisse pas submerger par ces questions et laisse le champ libre à ta spontanéité.

⭐ À quel moment l'embrasser ?

La réponse apparaîtra d'elle-même quand toutes les conditions seront réunies. Il arrivera un moment où vous serez seuls et partagerez le même désir de vous embrasser. Comment vas-tu le savoir ? Le désir se lit dans les yeux et ta copine n'aura pas besoin de l'exprimer. Elle sera peut-être intimidée comme toi, mais son regard parlera pour elle. Si tu en as très envie mais que tu la sens réticente, prends-la d'abord dans tes bras et serre-la fort. Donne-lui de l'affection et risque-toi à un bisou affectueux sur la joue. Les choses se feront sûrement naturellement. Mais n'insiste pas si le moment n'est pas venu pour elle. Tu n'es pas pressé, n'est-ce pas ? Un premier baiser doit devenir un souvenir inoubliable. C'est le plus beau cadeau que tu puisses lui faire, ne la force surtout pas.

La première fois qu'on s'est embrassés Julie et moi, on ne s'est même pas posé de questions. On s'aimait et c'est venu tout naturellement. C'est un souvenir inoubliable.

Sam, 13 ans

Ma copine a eu peur quand je l'ai embrassée la première fois ; elle a tourné la tête et je l'ai embrassée dans l'oreille. finalement ça nous a fait rire, et ensuite elle a bien voulu parce qu'elle avait moins peur.

Grégory, 13 ans

⭐ Chasse l'angoisse

Pour combattre l'anxiété d'un premier baiser, tu possèdes deux armes que tu ne soupçonnes pas et qui sont pourtant redoutables : la franchise et l'humour. Ne te fais pas passer pour un vieux routier plein d'expérience. Rien ne prouve que ta copine te croira, mais si c'est le cas, tu risques de l'intimider.

Joue franc-jeu, annonce la couleur par une phrase du type : « Tu sais Zoé, je ne suis pas très à l'aise, c'est la première fois que je sors avec une fille. » Elle se sentira plus détendue et tout ira mieux pour vous deux. Ne t'inquiète pas, non seulement elle ne se moquera pas mais en plus, elle appréciera ta franchise.

L'humour permet également de détendre l'atmosphère. Sors-lui une phrase du genre : « La dernière fois que j'ai embrassé une fille, je lui ai arraché la langue sans faire exprès, mais je vais tâcher de faire mieux avec toi. » En faisant rire Zoé, tu vas aussi la décoincer.

Ma copine avait 12 ans et moi 13 quand on est sortis ensemble. Elle n'avait pas trop envie qu'on s'embrasse. J'ai attendu plusieurs semaines et c'est finalement elle qui m'a embrassé sans que je m'y attende.

Éric, 14 ans

⭐ La technique du baiser

Si tu t'attends à trouver des techniques de baiser comme le « spider kiss » de Peter Parker dans *Spiderman*, tu vas être déçu. Il n'existe pas de méthode. Je ne peux te donner qu'un conseil : ouvre ton cœur et suis tes impulsions. Ensuite, tout se passera bien. Le plaisir que tu prendras à sentir les lèvres de ta copine est communicatif et suffira à lui en donner à elle aussi. Peu importe ce que tu feras avec tes lèvres et ta langue, si tu agis avec amour, tu sonneras juste. Embrasse-la avec tendresse et surtout avec sincérité sans chercher la performance et ton baiser sera toujours bon.

Je voudrais aller plus loin, elle ne veut pas

Aller plus loin ne signifie pas forcément « coucher avec », mais la découverte du corps de l'autre est une étape très attrayante bien sûr. Elle représente aussi un cap important, particulièrement chez les filles.

Une histoire d'amour se vit à deux et il est primordial que tu respectes le rythme de ton amie. Elle n'est peut-être pas prête à avancer plus dans votre intimité. Peut-être avez-vous une différence d'âge qui explique que vous n'ayez pas les mêmes attentes. Si Lucie ressemble à une petite femme, du haut de ses 14 ans, elle reste une préado avec ses craintes et parfois des idées d'enfant.

La plupart des filles deviennent pubères entre 11 et 14 ans. Les garçons connaissent leur première éjaculation vers l'âge de 13 ou 14 ans. Selon les statistiques, les premiers rapports sexuels ont lieu entre 16 et 17 ans chez les filles et les garçons. Mais certains commencent bien avant ou bien après.

Avec ma copine, on n'est pas pressés. Je voudrais bien aller plus loin parfois, mais je sais que pour elle c'est important d'attendre. Je ne veux pas la perdre.

Guillaume, 15 ans

Je voudrais bien être le « premier » de ma copine. Même si ce n'est pas pour tout de suite, j'attends. Je ne veux pas la quitter pour ça, je la kiffe trop.

Pedro, 14 ans

Si tu l'aimes vraiment, tu dois pouvoir patienter. Il y a plein de choses à découvrir avant d'arriver aux relations sexuelles. Prenez le temps d'apprécier chaque minute que vous vivez ensemble.

N'oublie pas non plus que Lucie a des parents et qu'ils sont peut-être stricts sur le sujet. Si tu mets trop de pression sur ta copine, elle va se retrouver coincée entre ses parents et toi. Fais preuve de patience et ne grille pas les étapes.

Comment ça sera, la première fois?

Tout d'abord, il faudra vous demander si vous êtes vraiment prêts. Quelle que soit la réponse, la notion importante à retenir dans votre aventure est le respect. Aimer, c'est prendre en considération les craintes et les désirs de son amie. Sois attentif à ce qu'elle souhaite vraiment et à ce qu'elle ne veut pas quand le moment viendra.

Tu as peut-être déjà ton idée sur le sexe mais tu ne sais pas trop comment il faudra t'y prendre, l'excitation et la peur se mêlant. Les filles et les garçons ne se posent pas les mêmes questions. Et si vous êtes attirés physiquement l'un par l'autre, vous ne verrez pas les choses de la même façon.

En général, les mecs pensent à la virilité : « Est-ce que je vais assurer ? Est-ce que je suis un vrai mec ? Du côté des filles, les questions tournent autour de l'amour plutôt que du sexe : « Est-ce le bon garçon ? Est-ce qu'il m'aime vraiment ou est-ce juste pour le sexe ? Est-ce que ça fait mal ? » Ce qui comptera dans ce premier rapport, c'est le moment d'intimité que vous allez partager. Vous vous donnerez du plaisir et l'important sera de se sentir bien. Ce n'est pas si facile mais la solution est simple : parler. Tu devras être sincère et ne pas jouer les hommes virils, oublier les questions que tu te poses et répondre aux siennes. De cette façon, tu partageras le plaisir avec ton amie. Ce jour-là, elle n'attendra pas une prestation de ta part mais de la tendresse et de l'amour sincère.

Comment réussir l'amour la première fois ? Cela n'a aucune importance. Les fois suivantes seront toujours mieux. Une première fois réussie est un moment dont on sort encore plus amoureux. Pas un moment où on pense avoir « assuré ».

Attention! Le préservatif est obligatoire!

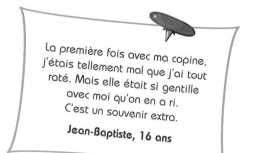

La première fois avec ma copine, j'étais tellement mal que j'ai tout raté. Mais elle était si gentille avec moi qu'on en a ri. C'est un souvenir extra.

Jean-Baptiste, 16 ans

Préservatif obligatoire

Quand le moment vous semblera venu, à toi et ta copine, d'avoir un rapport (bien sûr, dans le respect des attentes de chacun), mieux vaudra être conscients des dangers.

Trop jeune pour être papa

Avant toute chose, tu dois bien prendre conscience qu'une fille peut se retrouver enceinte dès le premier rapport sexuel. Tu es un peu jeune pour être papa, non ? Même s'il existe différents types de contraceptifs féminins (dont la pilule, contraceptif hormonal que ta copine prend peut-être), pense à la méthode barrière et utilise un préservatif (ou capote) qui coupera la route aux spermatozoïdes. En cas de rupture accidentelle du préservatif, une pilule du lendemain, prescrite par un médecin ou disponible sans ordonnance en pharmacie, permet d'éviter une grossesse non désirée.

Sida : attention, danger

Lors d'un rapport sexuel, vous risquez aussi la contamination par le virus du sida. C'est le syndrome de l'immunodéficience acquise. En clair, le virus H.I.V. attaque le système immunitaire de l'homme, c'est-à-dire son système de défense contre les autres virus et les bactéries. Attention, ça n'arrive pas qu'aux autres et surtout, il n'y a qu'une seule façon de savoir si toi ou ta copine n'êtes pas porteurs du virus : la prise de sang. Le sida, comme les M.S.T., ne s'attrape pas sur les toilettes publiques ni en serrant la main ou en embrassant, mais par le sang, le sperme et les sécrétions vaginales.

Être séropositif signifie que le virus est entré dans le corps, mais on n'a pas encore les signes de la maladie. Le virus se développe avec le temps et, quand le corps ne peut plus se défendre, le malade arrive alors au stade « sida ». Les traitements actuels repoussent cette phase.
Être séronégatif veut dire que le virus n'est pas entré dans l'organisme.

Un porteur sain est un individu infecté par une maladie qui ne s'est pas encore déclarée. Il est contagieux mais ne le sait pas. Pour cette raison, il faut se protéger pour ne pas être contaminé ni risquer de contaminer l'autre.

Les M.S.T.

Les maladies et les infections sexuellement transmissibles existent même si l'on en parle moins que le sida.

L'hépatite B est dangereuse et se soigne mal. Cette maladie entraîne un mauvais fonctionnement du foie.

L'herpès, qui est un virus, ne peut pas non plus être complètement éliminé.

Les mycoses sont nettement moins graves mais très dérangeantes.

Pour en savoir plus sur ces maladies et les risques, tu peux te rendre sur le site www.planningfamilial.net ou interroger l'infirmière de ton collège.

La maladie du bisou

C'est ainsi que les Américains nomment la mononucléose infectieuse (*kissing disease*). Le virus se transmet par la salive. Attrapé jeune, il est sans gravité et se soigne très bien. Les principaux symptômes sont : une grosse fatigue, un manque d'appétit et de la fièvre.

LE PRÉSERVATIF est une fine enveloppe de latex que l'on glisse sur le pénis en érection avant le rapport sexuel. Il est lubrifié pour faciliter la pénétration et il se termine par un petit réservoir pour recueillir le sperme. C'est un moyen de contraception mais c'est aussi le seul qui soit efficace pour se protéger des infections sexuellement transmissibles et donc du sida. Pour l'utiliser, il suffit de lire la notice. On peut se le procurer facilement en pharmacie, dans les grandes surfaces, dans les centres de planning familial et dans des distributeurs automatiques. Son prix varie de 0,20 à 1 euro.

Que ce soit à propos de la grossesse ou des M.S.T., le planning familial répond à toutes tes questions en respectant l'anonymat aux 2 numéros gratuits suivants :
0 800 803 803
ou
0 800 105 105

La vérité sur le collège

En septembre,
une nouvelle année scolaire
commence : le collège s'ouvre à toi !
Tu es prêt pour la rentrée ?
Ça fait des semaines que tu y penses,
ton cartable est déjà bouclé ?
Tu imagines déjà ta nouvelle classe,
tes nouveaux copains, tes nouveaux profs…
Peut-être même que tu entres en 6e ? Quelle chance !
Tu vas vivre des choses extraordinaires cette année !
Bien sûr, tu ressens aussi une sorte d'inquiétude,
c'est normal, tu ne sais pas exactement ce qui t'attend.
Alors ouvre vite mes fichiers, j'ai dans mon disque dur
tout un tas d'infos qui te faciliteront la vie.

Prêt ? Allons-y !

Prêt pour la rentrée?

À la fin des vacances, tu te sens… impatient,

plutôt cool ou carrément flippé?

1. La veille du jour J…

B Tu te ronges les ongles et même ceux des orteils.

A Tu te couches tout habillé tellement t'es pressé.

C Encore un pied dans les vacances, tu regarderais bien un DVD.

2. Pour toi, rentrée rime plutôt avec…

B C'est la corvée.

C Pas le choix, faut bien y aller.

A Les doigts dans le nez.

3. Tu as passé la fin du mois d'août à :

B Faire des cauchemars toutes les nuits.

A Prendre des résolutions et même ranger ta chambre.

C Manger de la glace devant la télé.

4. Ta mère compare ton sac à dos :

C Au rayon gâteaux d'un supermarché.

A À la bibliothèque bien rangée de ton quartier.

B À une planète après l'attaque des clones.

5. Le premier jour, tu t'assieds plutôt…

B Au fond, derrière un grand, pour dormir.

A Devant, pour mieux écouter et ne rien manquer.

C Au milieu, pour écouter la prof et les bêtises des copains en même temps.

+ de **A** : Impatient

Tu as bien profité des vacances. Maintenant que tu es remonté à bloc, tu n'as qu'une hâte, aller au collège, retrouver tes copains, découvrir ton planning et entrer dans le vif du sujet ! Tu as tout organisé et tu es fin prêt. Bravo.

+ de **B** : Flippé

Tu aurais préféré continuer à te la couler douce. Les vacances, pour toi, y'a que ça de vrai. La rentrée, c'est vraiment la corvée. Tu préfères ne même pas y penser. Du coup, tu n'as rien prévu pour l'affronter. Essaie d'y penser quelques jours avant, histoire de te préparer.

+ de **C** : Plutôt cool

Retourner à l'école ne t'enchante pas mais bon ! Y'a des choses plus graves dans la vie ! Tant qu'à faire, autant y aller du bon pied puisque de toute façon, tu ne peux pas reculer. Tu te prépares doucement, au moins, ça t'évitera de stresser.

Petite révision des circuits

Après 2 mois de vacances, les cours sont déjà loin et on est un peu rouillé
Pour te sentir bien dans tes baskets le jour de la rentrée, tu peux survoler tes leçons de l'an passé pour te remettre un peu dans le bain et te rassurer.

Si tu entres en 6ᵉ, tu vas passer des évaluations. Ce sont des tests nationaux. Depuis 1989, tous les 6ᵉˢ de France les passent une quinzaine de jours après la rentrée. Ils servent à vérifier les acquis et les faiblesses des élèves et permettent aux profs d'adapter leur programme. Mais les notes que tu obtiendras pour ces tests ne compteront pas dans ta moyenne.

Pendant les vacances, tu t'es souvent couché et levé tard. Pour ne pas être surpris par la sonnerie matinale de ton réveil le jour J, une semaine avant la rentrée, retrouve progressivement un rythme « normal » de sommeil. Si tu veux avoir la pêche, couche-toi entre 20 heures et 21 heures, tu émergeras plus facilement le matin !

Quelques jours avant la rentrée, fais-toi plaisir !
Profite surtout de tes derniers jours de vacances pour recharger complètement tes batteries et faire le plein d'énergie !

✳ Accorde-toi des moments de détente pour écouter de la musique, lire un bon roman de science-fiction ou une B.D.

✳ Fais l'inventaire de ton matériel, choisis ton cartable, remplis le répertoire de ton agenda ou colle à l'intérieur des images que tu aimes.

✳ Choisis dans ton armoire les vêtements que tu voudrais mettre pour être à l'aise le jour de la rentrée.

✳ Fais du sport avec tes copains, va courir ou enfourche ton VTT pour te détendre et t'oxygéner.

En bref, profites-en un max et change-toi les idées !

15 août   **28 août**   **4 septembre**

Monsieur Propre, c'est toi?

Organisé, tu l'es… énormément, juste ce qu'il faut
ou carrément pas du tout?

As-tu une majorité de Ⓐ, de Ⓑ ou de Ⓒ ?

1. Avant la douche…
Ⓐ Tu dégommes la lampe avec ton slip.
Ⓑ Tu plies tes vêtements avec la sagesse d'un samouraï.
Ⓒ Tu fais un panier en jetant tes vêtements « au sale ».

2. Ta mère entre dans ta chambre, elle s'écrie :
Ⓐ « Mon Dieu, on a été cambriolés ! »
Ⓑ « Mon chéri, tu n'es pas obligé de passer l'aspirateur au plafond ! »
Ⓒ « Waouh ! C'est ton jour annuel de rangement ? »

3. Cette semaine, tu as beaucoup de devoirs…
Ⓒ Tu as relu tes leçons, pour le reste, on verra plus tard.
Ⓐ Tu simules les 40 °C de fièvre. Impossible de travailler dans cet état !
Ⓑ Tu en as déjà fait la moitié mercredi dernier.

4. Comment est rangé ton bureau ?
Ⓑ Une vraie mécanique de montre, chaque chose à sa place.
Ⓒ Bof, bof.
Ⓐ Ça veut dire quoi, rangé ?

5. Tu viens de faire du cross avec ton vélo…
Ⓑ Tu le laves, tu le sèches, tu le graisses.
Ⓐ Tu passes un chiffon sur la selle et le cadre et tu abandonnes.
Ⓒ Peu importe, c'est le vélo de ton frère.

+ de Ⓐ : pas du tout

Tu confonds « Power Ranger » et « ranger sa chambre ». Du coup, tu risques de passer ton temps à chercher tes affaires et à réagir trop tard. Essaie d'être un peu plus exigeant et apprends à t'organiser (cf. page 124).

+ de Ⓑ : organisé

Chez toi, on pourrait « manger par terre », comme dirait ta mère. Tu es le champion de l'organisation et ça te rend bien des services : une fois tes devoirs bouclés, tu as du temps pour t'amuser !

+ de Ⓒ : juste comme il faut

L'organisation, c'est pas ton obsession. Tu fais les choses au jour le jour sans t'affoler. C'est pas mal, mais ce serait encore mieux si tu faisais un petit effort supplémentaire, tu gagnerais du temps .

Deviens le roi de l'agenda !

Terminé les oublis, avec cet outil indispensable à ton organisation.

Comment ça marche ?

Si l'année dernière tu étais en CM2 et si tu utilisais un cahier de textes, cette année, en 6e, tu vas te servir d'un agenda. Rien de plus pratique ! Grâce à ses pages datées, tu vas pouvoir inscrire tes devoirs pour la semaine suivante et parfois même encore plus loin. N'oublie pas de l'ouvrir régulièrement.

> Mon agenda, il me suit partout. Je colle des photos, des tickets de cinéma et tout ce que j'aime. Ça me fait superplaisir de tourner les pages et comme ça, j'oublie jamais de devoirs.
>
> **Hugo, 12 ans**

La bonne technique

Tu n'arriveras pas à lire un livre en une soirée ni à réaliser un exposé du jour au lendemain. La bonne méthode consiste à programmer ton travail à l'avance. C'est facile : avance-toi, travaille un peu chaque jour, étale tes devoirs dans le temps et tout te semblera plus simple.

Et en plus

Dans ton agenda, tu trouveras des choses très pratiques : un calendrier de l'année et des vacances scolaires, des cartes géographiques, des pages vierges sur lesquelles tu pourras noter tes idées et un répertoire pour inscrire les coordonnées de tes copains.

Une organisation en béton

Comment travailler dans les meilleures conditions ?

Mets tous les atouts de ton côté pour être bien armé !

1 **Réserve-toi un espace de travail**

On travaille bien là où on se sent le mieux. Souvent, c'est plus facile de se concentrer dans le calme, mais ce n'est pas systématique ! Certains préfèrent le faire dans leur chambre. D'autres travaillent mieux sur la table de la cuisine, avec, en bruit de fond, celui de leurs parents qui préparent le repas. D'autres encore ont besoin d'un peu de musique. Essaie d'identifier l'ambiance qui te permet d'être le plus efficace. N'hésite pas à changer de lieu si tu sens que tu as du mal à faire tes devoirs. Il faut souvent faire plusieurs tests avant de trouver ce qui nous convient.

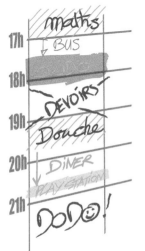

2 **Fabrique-toi un emploi du temps**

Avec cet outil, d'un coup d'œil, tu repéreras les « trous » pendant lesquels tu pourras travailler. Note tes cours, mais aussi tes activités sportives ou artistiques. Punaise-le au mur, ainsi, tu l'auras toujours sous les yeux.

3 **Répartis le temps de tes devoirs**

Au bout d'un moment, tu as beau essayer de rester concentré, « plus rien ne rentre ». Évalue le temps qu'il te faut pour apprendre un cours ou faire un exercice. Identifie quelles sont tes journées les plus fatigantes. Cela t'aidera à organiser ton travail sur la semaine.

4 **Liste tes priorités**

Quand tu fais tes devoirs, procède par étapes. Si tu entames quelque chose, va jusqu'au bout ! Sinon, tu t'éparpilleras et tu ne finiras rien. Va au plus urgent. Un contrôle de maths demain ? Commence par réviser cette leçon. Quand c'est fait, fais-toi plaisir en le barrant de ta liste !

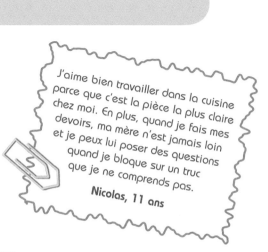

> J'ai du mal à m'organiser alors je me suis fait un planning que j'ai accroché au-dessus de mon bureau. J'ai noté en fluo les moments où je peux faire du sport, ça me motive pour faire plus vite mes exercices de maths !
>
> **Alex, 13 ans**

5 Repère tes heures d'efficacité

On ne travaille pas tous de la même manière. C'est comme pour le sommeil : chacun a son propre rythme. Essaie de repérer les moments où ton cerveau est le plus performant : le matin, le soir, après le sport ? Et organise ton travail en fonction. Réserve ce qui te demande le plus d'efforts et de concentration pour ces moments-là.

6 Réunis ton matériel

Un menuisier ne peut pas travailler sans ses outils ni un peintre sans ses pinceaux. Pour toi, c'est pareil ! Garde à portée de main dictionnaire, atlas, manuel ou cahier de la leçon que tu étudies, stylos, crayons à papier et surligneurs.

> J'aime bien travailler dans la cuisine parce que c'est la pièce la plus claire chez moi. En plus, quand je fais mes devoirs, ma mère n'est jamais loin et je peux lui poser des questions quand je bloque sur un truc que je ne comprends pas.
>
> **Nicolas, 11 ans**

La 6ᵉ, rien que du neuf !

Super !
Cette année tu vas au collège pour la première fois
et tu vas découvrir une quantité de choses nouvelles.

Tu es ici

Souvent, avec tes copains du CM2, vous parlez de la 6ᵉ : d'un côté, vous vous dites que ça va être génial, et de l'autre, ça vous arrive de vous faire des films. Et pour peu que des grands du collège vous aient raconté des trucs flippants sur ce qui s'y passe, ça ne vous rassure pas forcément ! Alors, pour démarrer l'année du bon pied, faisons le point sur ce qui va vraiment être différent dans ta vie d'élève.

Le collège, parlons-en !

Tu passes du primaire au secondaire : une grande aventure commence, beaucoup de choses vont changer et comme tu ne sais pas exactement quoi, tu risques de passer par une foule de sentiments différents. Bien sûr, tu es tout excité de faire de nouvelles rencontres, de quitter l'école des petits ; et aller au collège, c'est aussi le signe que tu grandis et que tu vas être plus autonome. Mais ça ne t'empêche pas de te poser des questions. Alors détruisons les idées toutes faites sur le collège.

1. Et si tu n'étais pas dans la même classe que ton meilleur copain ?

Le collège où tu es inscrit correspond en principe au secteur que tu habites. Si ton meilleur copain était dans ta classe en primaire, il y a de grandes chances pour qu'il aille dans le même établissement que toi. S'il n'est pas dans ta classe, tu le verras à la récré. Et s'il est parti ailleurs, tu auras pensé à noter son adresse quelque part et vous pourrez vous voir en dehors des cours. Et puis, des copains, tu vas t'en faire plein d'autres au collège !

2. Ton école primaire, tu la connais par cœur… Mais comment tu vas t'y retrouver dans cet immense collège ?

Impossible de s'y perdre : tout est prévu pour que tu puisses te repérer (pour en savoir plus, rendez-vous page 130). Et bientôt, tu connaîtras ton nouvel établissement comme ta poche !

Quand j'ai quitté le primaire, j'ai perdu tous mes copains parce qu'on n'allait pas tous dans le même collège. Au début, je ne parlais pas beaucoup. Je suis timide. Et finalement, aujourd'hui, j'ai les meilleurs copains de la terre.

Soleyman, 13 ans

3. Dans ton école, tu impressionnes les petits CP

Avec les 3es du collège, ça ne sera certainement pas la même chose ! Ils ne s'occuperont même pas de toi ! Franchement, les 3es ont d'autres chats à fouetter et sont trop occupés à se coller du gel dans les cheveux et à essayer d'impressionner les filles…

Si tu t'inquiètes, demande conseil à tes parents ou échange ton point de vue avec tes copains. Il y a peut-être, dans ton entourage, un grand qui a déjà passé le cap de la 6e. Pose-lui des questions, demande-lui de te raconter son expérience, tu verras qu'entrer au collège, ça n'est pas si compliqué que ce que tu pourrais imaginer.

RENSEIGNE-TOI !
Et si tu essayais d'en savoir plus sur le collège où tu es inscrit ? Cherche-le sur Internet en tapant son nom dans le moteur de recherche Google par exemple. Un site lui est peut-être consacré, et si tu as de la chance, tu trouveras même des photos qui te permettront de visualiser les lieux un peu à l'avance.

College Adventure : deviens champion

Comment te préparer avant un événement important ?

La veille de la rentrée, tu es surexcité. Tu es à la fois pressé d'y être et en même temps un peu tendu car tu ne sais pas vraiment ce qui t'attend. Reste serein, pas de quoi paniquer. Pour te préparer mentalement et prendre la situation du bon côté, passe au mode entraînement et canalise ton énergie…

Suis l'exemple des sportifs : qu'ils pratiquent la boxe, le football ou les arts martiaux, avant une compétition, ils entrent souvent dans une phase de concentration durant laquelle ils anticipent à l'avance les situations qu'ils risquent de rencontrer sur le terrain. En vivant virtuellement ces scènes, ils inventent les meilleures réponses possibles aux attaques de l'adversaire.

À ton tour… Le soir, dans ton lit, avant un événement important, imagine les points forts de la journée sans te laisser envahir par « le côté obscur de la force ». Respire calmement et essaie d'anticiper ce qui va se passer. Le jour J, tu seras plus détendu car tu auras prévu toutes les situations positives possibles.

Tu pourras te servir de cette technique en cas de stress ! La veille d'un contrôle ou d'un exposé devant toute la classe par exemple, ou si tu as une compétition sportive le lendemain.

Résultat garanti !

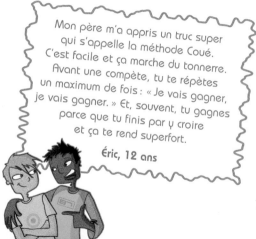

Mon père m'a appris un truc super qui s'appelle la méthode Coué. C'est facile et ça marche du tonnerre. Avant une compète, tu te répètes un maximum de fois : « Je vais gagner, je vais gagner. » Et, souvent, tu gagnes parce que tu finis par y croire et ça te rend superfort.

Éric, 12 ans

128

Besoin d'une boussole?

As-tu le sens de l'orientation? Dans le genre, tu serais plutôt...

aventurier, randonneur débutant

ou promeneur du dimanche?

1. La nuit, tu te lèves dans le noir pour aller aux toilettes :

Ⓐ Tu fais pipi dans le panier du chien.

Ⓑ Tu y vas les yeux fermés tellement tu connais la maison.

Ⓒ Tu arrives aux toilettes avec trois bosses sur le front.

2. Le soleil se lève :

Ⓑ À l'est.

Ⓐ Au nord.

Ⓒ Dans le ciel.

3. Ta main droite, c'est :

Ⓑ Celle avec laquelle tu te grattes le nez.

Ⓐ Une des deux.

Ⓒ L'inverse de la gauche.

4. Tu tournes 2 fois à gauche, 1 fois à droite, 3 fois à gauche, tout droit et 1 fois à droite, tu arrives :

Ⓐ N'importe où mais pas au collège.

Ⓑ Directement au point de rendez-vous.

Ⓒ À l'école des sorciers.

5. Tu es puni. Ton prof t'envoie chez le proviseur. Tu t'y rends...

Ⓑ En 6 minutes chrono.

Ⓐ Jamais, tu t'es perdu.

Ⓒ Au bout de 2 heures.

As-tu une majorité de Ⓐ, de Ⓑ ou de Ⓒ ?

+ de Ⓐ : promeneur du dimanche

C'est la cata ! Tu te perdrais n'importe où. Ne reste pas seul quand tu vas arriver au collège, suis le groupe ou tu risquerais de ne pas t'y retrouver !

+ de Ⓑ : aventurier

Il y a de la graine d'explorateur en toi. Improvise-toi guide le jour J, tu auras un franc succès !

+ de Ⓒ : randonneur débutant

Tu es un peu dans la lune. Pour mémoriser un chemin, tu as besoin de le prendre plusieurs fois avant d'être à l'aise.

Le collège, un vrai labyrinthe?

Les collèges ne sont pas tous gigantesques mais ils contiennent quand même pas mal de salles différentes et sont parfois composés de plusieurs bâtiments. Pourtant, il ne te faudra pas longtemps avant de connaître parfaitement le tien. En effet, sur place, tout est prévu pour te faciliter la tâche.

1 Les directeurs de collège le savent bien, le passage du CM2 vers la 6ᵉ est un événement. Pour préparer les futurs élèves à la rentrée, beaucoup d'entre eux organisent une journée porte ouverte vers le mois de juin. Ton instituteur ou une personne de ta famille pourrait t'y emmener. Ce premier contact avec les locaux te donnera déjà des repères.

2 En début d'année, il se peut que tu t'égares dans les couloirs. Il y a de grandes chances pour qu'un plan soit affiché dans l'établissement. N'attends pas le dernier moment, juste avant le cours de 8 heures, pour étudier le parcours que tu dois prendre pour te rendre au cours d'anglais ! Regarde le plan de temps à autre pour t'habituer.

3 Les pions – c'est ainsi qu'on surnomme les surveillants – pourront à tout moment t'indiquer l'emplacement d'une salle si tu es perdu. Ce sont pour la plupart des étudiants. N'hésite pas à leur poser des questions.

4 Une salle sera peut-être attribuée à ta classe et tu changeras quelquefois de bâtiment pour certaines matières (des salles spéciales sont réservées aux cours de physique et SVT). Le plus simple est encore de suivre ton groupe. Ensemble, on a moins de chances de se perdre.

5 Ton professeur principal t'accueillera le premier jour. Il te donnera ton emploi du temps mais également les numéros des salles où se déroulent les différents cours. Pose-lui toutes les questions qui te viennent à l'esprit.

Lumière sur les profs et les devoirs...

Quand j'étais en primaire, mon grand frère qui était au collège me racontait des tas de trucs horribles sur les profs. Bien sûr, c'était faux ! Quand je suis allé au collège, un jour, un prof m'a même proposé de me donner des cours particuliers pour m'aider.

Benoît, 13 ans

Qui sont-ils ?

Au lieu d'un instituteur, tu auras une dizaine de profs, autant que de matières. L'année promet d'être variée !
Les enseignants du secondaire sont comme les instituteurs du primaire : ils sont là pour t'aider. Ils savent très bien que la 6e est une classe complètement différente du CM2 et feront de leur mieux pour que tu t'acclimates. Et s'ils te donnent beaucoup de devoirs, ils t'aideront de toute façon à planifier ton travail et à organiser ta semaine.
Une chose est sûre, chaque prof applique sa propre méthode. Certains dictent les cours, d'autres écrivent au tableau, d'autres encore te demanderont de prendre des notes. Il faudra juste t'adapter ; rien de très sorcier !

Trop de devoirs ?

Il y a plus de matières au collège, donc plus de devoirs. La quantité de travail à faire à la maison dépend des professeurs. Certains en donnent peu et d'autres un peu plus. Attention, ils ne seront pas tout le temps derrière ton dos pour te rappeler qu'il faut réviser les cours. Ils estiment que tu es assez grand pour savoir ce que tu as à faire. Mais en général, ils prévoient les exercices assez longtemps à l'avance, sachant le temps que ça va te prendre. Tu n'auras jamais un exposé à préparer un jour pour le lendemain ! Si tu planifies ton travail en l'étalant sur la semaine (pas question de te coucher à minuit tous les soirs à cause des devoirs !), tu verras que tout ira comme sur des roulettes. Si tu trouves qu'un prof donne trop de devoirs, parles-en avec ton prof principal ou avec ton délégué (cf. page 135).

Nous, dans notre classe, on avait un prof de maths qui nous donnait plein d'exercices et toujours pour le lendemain. Alors, à plusieurs, on est allé voir la prof principale pour lui parler de notre problème et elle a discuté avec lui. Depuis, il nous donne toujours autant d'exos mais toujours pour la semaine suivante, comme ça, on peut mieux s'organiser.

Théo, 11 ans

Bienvenue sur la planète collège !

Qui croiseras-tu dans ce nouvel univers ?

Le principal

Place au « chef » ! Baptisé aussi « proviseur » ou « directeur », son rôle est de diriger l'établissement. Tu ne le fréquenteras pas souvent, sauf si tu es délégué de classe ou si tu as de très gros problèmes. À ses côtés, un adjoint le seconde dans ses tâches.

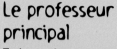

Le professeur principal

Tu le repéreras assez vite : comme je te l'ai dit, il t'accueille le jour de la rentrée ! Ensuite, bien sûr, tu le retrouveras pour ses cours. Il discute souvent de la classe avec les autres professeurs et connaît bien ses élèves.

Le conseiller d'orientation psychologue (COP)

Tu ne sais pas quel métier faire plus tard, ni comment y arriver ? Prends rendez-vous avec le COP ! Ses services sont plutôt réservés aux élèves de 3e, mais il n'y a pas d'âge pour s'informer. Par ailleurs, grâce à sa formation en psychologie, il tient vraiment compte des goûts, des intérêts et de la personnalité des élèves pour les conseiller.

Le conseiller principal d'éducation (CPE)

Si tu arrives en retard ou si tu manques un jour d'école, tu devras obligatoirement passer par lui. Son rôle ? Assurer la sécurité et la discipline des élèves, mais il est aussi à leur écoute ! N'hésite pas à lui demander conseil pour créer un club (cf. page 148) ou t'orienter si tu es perdu dans les couloirs. Plusieurs surveillants l'aident dans son travail.

Le documentaliste

Une fois que tu le connaîtras, tu ne le regretteras pas! Son CDI (centre de documentation et d'information) est une vraie mine d'or! Tu trouveras toutes les infos pour tes exposés (cf. page 145) et aussi des romans, des magazines et des B.D. pour te détendre. Certains sont même équipés d'ordinateurs et d'accès Internet.

L'infirmier

Un petit bobo, un problème personnel, une question de santé? Fais un petit tour à l'infirmerie. On te renseignera. Attention, il n'y en a pas dans tous les collèges.

Et aussi les gens qui font le ménage,

qui travaillent à la cantine

ou dans les bureaux.

LE DICO DU COLLÈGE

➔ **Carnet de correspondance**: appelé aussi carnet de liaison, ce livret mentionne tes retards et tes absences, le règlement intérieur... et sert aussi de lien pour les messages avec tes parents.

➔ **Heure de vie de classe** (10 h/an): inscrite dans l'emploi du temps, tu peux y parler, avec ton prof principal, de l'actualité, de l'école, des autres profs...

➔ **Colle**: punition classique qui consiste à passer plusieurs heures en étude à travailler, en général un mercredi.

➔ **Permanence (étude)**: un trou dans le planning de la journée? C'est dans cette salle que tu pourras prendre de l'avance sur tes devoirs, rêvasser ou lire.

➔ **SVT**: science et vie de la Terre. Sous cette appellation mystérieuse se cache simplement un cours où l'on te parlera de biologie et de géologie.

➔ **Bureau de la vie scolaire**: passage obligé pour signaler tes absences ou tes retards.

Les goûts et les matières

Au fond, tu serais plutôt… un scientifique en herbe,
un écolo né ou un pro
de la communication?

As-tu une majorité de A, de B ou de C ?

1. À propos de planètes, tu préfères :

(A) En imaginer les habitants.

(B) Les compter.

(C) Apprendre le nom de chacune.

2. À Noël :

(C) Tu te charges d'écrire les menus.

(B) Tu réalises qu'une réaction chimique se produit entre les œufs et la farine quand le four est à 250°.

(A) Tu ne veux pas qu'on coupe les sapins.

3. Tu voudrais avoir un scooter…

(C) Pour faire le tour du monde et rencontrer des gens différents.

(B) Pour démonter le moteur et construire un pod-racer.

(A) Pour en faire le premier scooter propre et écolo.

4. L'ordinateur sert à :

(A) Découvrir la planète grâce à Internet.

(C) S'envoyer des lettres ou communiquer par messages.

(B) Réaliser des calculs complexes en vue d'expédier un satellite autour de Pluton.

5. Une fille te plaît dans ta classe…

(C) Tu lui écris une lettre d'amour.

(B) Tu calcules les probabilités que tu as de sortir avec elle.

(A) L'étude du comportement amoureux chez l'homme t'intéresse grandement.

+ de (A): écolo né

Les sciences humaines sont faites pour toi. Tu aimes la Terre, l'univers, les peuples. Tu risques de carburer en géo ou en SVT.

+ de (B): scientifique en herbe

Salut Einstein ! Le scientifique des années à venir, c'est toi. Mathématiques, chimie, sciences physiques… Tu vas te régaler au collège.

+ de (C): pro de la communication

Tu aimes écrire et lire. Le français est ta matière. Les langues étrangères aussi car tu aimes échanger des idées.

Tu aurais voulu répondre oui à chaque proposition ? Dans ce cas, ne cherche pas plus loin, tout t'intéresse. Super, tu ne t'ennuieras dans aucune matière !

Le guide du délégué

Qui est-ce ?

Un élève du collège élu par sa classe un peu avant les vacances de la Toussaint. N'importe quel élève peut se présenter aux élections. Toute la classe vote à bulletins secrets. 4 élèves sont désignés : 2 titulaires et 2 suppléants qui les remplacent en cas d'absence.

LES QUALITÉS D'UN BON DÉLÉGUÉ

Tu veux devenir délégué ? Tu devras :
- Écouter et respecter les autres.
- Être attentif et discret.
- Ne pas jouer le petit chef.
- Défendre l'avis de tous et non ton opinion.

Et tu auras le droit à :
- La formation : une fois élu, on t'apprendra le « B.A.BA du métier », pour que tu sois au top !
- La réunion : tu pourras rassembler tous les élèves de ta classe sans la présence obligatoire d'un adulte, en CDI, en salle de permanence ou pendant l'heure de vie de classe.

Quel est son rôle ?

Il représente les élèves auprès des adultes. Il peut te défendre et sert d'intermédiaire entre un prof et toi en cas de problème si tu n'oses pas t'exprimer.

Il participe à des réunions importantes comme le conseil de classe où il peut défendre ses camarades en cas de besoin. Il a le droit d'intervenir comme tous les autres membres (profs, principal, CPE…).

Il fait ensuite un compte-rendu à ses camarades.

Il te demande ton avis sur ce que tu aimerais améliorer dans la vie de ta classe (la quantité de devoirs, la cantine…) et en parle aux adultes du collège.

Il peut favoriser les bonnes relations entre élèves.

Les cours au menu

Au collège, les matières sont variées, tu vas apprendre des choses nouvelles toute l'année !

✿ **En SVT**, tu étudieras l'environnement à travers la biologie et la géologie, mais aussi le fonctionnement du corps humain et l'histoire de la Terre… Avec ton prof, tu feras des manipulations et des expériences passionnantes !

✿ **En langues**, en primaire, tu as été initié à une langue vivante. En 6e, tu devras choisir une première langue à étudier entre l'anglais, l'allemand, l'italien, l'espagnol, mais aussi le russe, le chinois, l'hébreu ou l'arabe et bien d'autres encore, selon ce qui sera proposé dans le collège où tu es inscrit. Dès la 5e, tu pourras commencer une langue morte, latin ou grec, si tu en as envie. Et en 4e, tu prendras une seconde langue vivante qui peut aussi être une langue régionale comme le breton, le créole ou le corse. Il en existe onze.

✿ **En physique-chimie**, dès la 5e, tu te pencheras sur la météorologie, l'électricité et la lumière et tu pourras faire des expériences ébouriffantes.

EXCELLENT !!

✿ **En maths**, ton prof t'aidera à développer ton esprit logique, à chercher, à résoudre des problèmes. Si cette matière n'est pas ta préférée, dis-toi qu'elle sert dans de nombreux domaines scientifiques. Les spationautes, pilotes d'avion ou océanographes sont tous de vrais matheux !

Les matières ne sont pas plus difficiles au collège. Si tu bloques sur certaines d'entre elles, pose des questions aux profs pour te faire expliquer ce qui a du mal à passer. Tu peux aussi aller les voir à la fin de l'heure, ils sont là pour ça.

Yann, 13 ans

✪ **En sport**, le prof te proposera des activités variées : athlétisme, natation, gym, lutte romaine et parfois judo, mais aussi volley, basket ou handball, de quoi être en pleine forme toute l'année !

✪ Un seul prof t'enseignera **l'histoire, la géographie et l'éducation civique**. Le programme est riche dans ces cours, et si tu t'intéresses en particulier à l'Égypte au temps des pharaons ou à la Grèce dans l'Antiquité, tu ne vas pas t'ennuyer !

✪ **En arts plastiques**, tu testeras différents types d'expression : sculpture, dessin, peinture, collages… Si tu as l'esprit créatif, cette matière t'enchantera !

✪ **La musique** fait partie du programme et de la culture générale ! Flûte à bec et chorale te seront enseignées. Si tu as de la chance, le prof de musique te fera peut-être travailler sur tes chansons préférées.

Je suis ta meilleure…

Je suis ta meilleure amiiiiie

Je suis stressé

La plupart du temps, tu prends la vie du bon côté et ça te permet d'appréhender les choses calmement sans trop te prendre la tête ? Tu as de la chance. Mais avec ta nouvelle vie de collégien, il est possible que tu aies parfois du mal à rester zen !

En début d'année, tu es en pleine phase d'adaptation : tu jongles avec les devoirs, tu fais appel à ta concentration pour noter tout ce que disent les profs pendant les cours, tu essaies d'assurer aux interros… Résultat, tu te sens stressé quelquefois ! Mais pas de panique. Un peu de pression n'a jamais tué personne, inutile de te paralyser pour autant ! Et en plus, bien gérée, l'adrénaline a du bon.

ÉCLAIRAGE SUR L'ADRÉNALINE

Que se passe-t-il quand tu penses ne pas être prêt pour un contrôle ou une épreuve sportive ? Tu ressens un malaise ? Tu transpires, ta respiration s'accélère ? Tu es tout simplement en état de stress. Ton organisme se défend contre ce qu'il croit être une agression extérieure : il t'envoie une décharge d'adrénaline. Disons, pour simplifier, que l'adrénaline est une hormone qui provoque l'accélération du rythme de ton cœur et fait monter la pression du sang dans tes artères. Grâce au stress, toutes tes forces physiques et mentales sont mobilisées, ce qui est très positif à condition de ne pas paniquer.

Au GIGN, j'ai connu le stress pendant 14 ans. La réussite des opérations tient à une entente parfaite. En voyant les copains s'angoisser, on comprend qu'on est tous pareils. Le stress cimente les liens. À plusieurs, on est plus solide face à lui. Il est positif car il éveille les sens : il en fait naître un sixième, le pressentiment. Pour réussir nos missions, il faut utiliser le meilleur du stress.

Jean-Luc Espla, ancien opérationnel du GIGN (Groupe d'intervention de la gendarmerie nationale)

7 trucs pour rester zen

Parmi toutes ces affirmations, lesquelles te semblent vraies ?

1. Se coucher à minuit tous les jours aide à lutter contre les angoisses.

2. Manger un peu de tout et sans excès permet de rester zen.

3. L'organisation est un premier pas vers le stress.

4. Faire quelques corvées après chaque mauvaise note fait remonter ma moyenne.

5. 8 heures de *Super Mario* d'affilée me décontractent à fond.

6. Le sport énerve et empêche de se concentrer.

7. Je suis plus cool quand je prépare mon cartable la veille en prenant mon temps.

Résultat :

Seules la deuxième et la dernière affirmation sont vraies. Pour y voir un peu plus clair, lis ce qui suit :

Crois-en mon expérience, un peu d'huile et ça redémarre ! Chez vous les humains, c'est un peu pareil. Le sommeil et une alimentation équilibrée sont les bases d'une bonne recette antistress. L'organisation de ton travail te permet de te projeter dans l'avenir avec calme. Plus de 2 heures de console d'affilée par jour, c'est trop : tu risques de perdre quelques boulons ! En revanche, il est impératif de te réserver des moments de plaisir ou de jeu pour oublier les tensions du collège.

Enfin, avoir une mauvaise note, ça arrive à tout le monde, l'essentiel est que tu comprennes pourquoi tu n'as pas réussi pour en éviter d'autres. À l'inverse, savoure tes bonnes notes ! Tu peux même accrocher les meilleures sur le mur de ta chambre, ça te remontera le moral en cas de besoin !

Mes parents ne pensent qu'aux notes

C'est parce qu'ils s'inquiètent pour ton avenir. Il faut les comprendre. À la télé, dans les journaux, on ne leur parle que de chômage. Franchement, ça ne te donnerait pas la frousse à toi ? À leur place, toi aussi, tu aimerais que tes enfants soient certains d'avoir un métier qui leur plaise.

C'est pareil pour tes parents ! Pour eux, te pousser à réussir à l'école, c'est te donner toutes les chances d'y arriver. Toi, ça te paraît loin, c'est sûr. Et tu préférerais qu'ils t'interrogent sur ce que tu fais avec tes copains, ce que tu aimes écouter comme musique en ce moment ou sur la dernière B.D. que tu as lue et pas seulement sur tes notes ! Et si tu leur en parlais ?

L'AVIS DE L'EXPERT

Tes résultats scolaires sont très importants pour tes parents. Ils t'aiment et sont fiers quand tu réussis car ton succès est aussi le leur. En dehors de tes notes, tu as l'impression qu'ils ne s'intéressent pas à ce que tu fais ? Et toi, leur poses-tu des questions sur leur travail, ce qu'ils aiment, ce qu'ils ont vécu aujourd'hui ? À table, raconte-leur le moment le plus drôle ou le plus étrange de ta journée. Demande-leur ensuite ce qui les a marqués dans la leur. Ainsi, ils te parleront d'eux et tu leur parleras de toi, chacun en saura un peu plus sur l'autre et tes notes seront mises de côté pendant un moment.

Sylvie Companyo, psychologue

T'as plutôt de la chance que tes parents s'intéressent à tes notes ! Les miens n'en ont rien à faire et ça me rend triste qu'ils ne regardent pas mes résultats.

Simon, 13 ans

Dis-leur franchement ce que tu penses, que c'est dur pour toi qu'ils te mettent la pression, que tu les comprends et que tu fais des efforts mais que ça te stresse qu'ils soient toujours derrière ton dos.

Mathis, 12 ans et demi

Le sas de décompression

Choisis à chaque fois la bonne réponse
et vérifie ta capacité à rester zen.

1. Tu ne devais pas jouer dans cette compétition de judo mais au dernier moment tu es repêché. Ton prof te demande de vite enfiler ton kimono :

Ⓐ Tu te souviens que tu devais garder le petit frère du filleul de ta tante Marcelle et tu te sauves.

Ⓑ Tu décides de vomir sur le kimono de ton adversaire pour l'impressionner.

Ⓒ Tu te dis que c'est le destin et que finalement tu seras peut-être champion.

2. Le contrôleur te réclame ton ticket de bus que tu ne trouves plus...

Ⓐ Tu élabores un plan pour sauter du bus, qui roule à 50 km/h, sans te blesser.

Ⓑ Tu prends ton temps pour fouiller méticuleusement tes poches.

Ⓒ Tu sens que tu ne vas pas tarder à faire le coup du kimono sur le contrôleur.

3. La porte de l'ascenseur refuse de te libérer depuis au moins 2 secondes...

Ⓐ Tu déglingues les boutons en hurlant que tu vas mourir asphyxié.

Ⓑ Tu appuies sur la sonnette d'alarme et tu t'assieds pour patienter.

Ⓒ Tu commences à démonter le panneau du haut avec la clé de chez toi.

4. L'alarme antivol du magasin se met à hurler quand tu franchis la porte...

Ⓐ Tu prends le chien d'une passante en otage et tu réclames un médiateur.

Ⓑ Tu réfléchis à ce que ferait Sonic dans cette situation.

Ⓒ Tu souris et tu te présentes au vigile qui vient vers toi.

5. Ta mère tient absolument à te présenter Sophie, la fille de la voisine...

Ⓐ Tu restes philosophe, la vie ne peut pas apporter que des bonheurs.

Ⓑ Tu cherches un moyen de cacher la sueur qui roule sur ton front.

Ⓒ Tu cherches dans *Nous les garçons* si le cas a été traité.

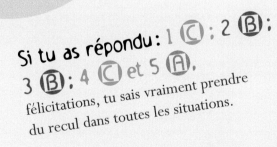

Si tu as répondu : 1 Ⓒ ; 2 Ⓑ ; 3 Ⓑ ; 4 Ⓒ et 5 Ⓐ, félicitations, tu sais vraiment prendre du recul dans toutes les situations.

Si tu as répondu autrement, relis bien le chapitre et retente le test.

Moqueries : contre-attaque

On te trouve trop fayot, trop bête, trop gros ou squelettique,
des élèves se moquent de toi ? Ne te laisse plus faire :
passe en mode SURVIVAL.

✳ L'humour : MEGA VANNE FORCE

Entre dans le jeu des moqueurs, ils seront pris à leur propre piège ! Si on te traite d'asperge, tu peux rétorquer : « Oh ! Là, là ! T'as remarqué ? Et en plus, je pue des pieds ! Je te montre ? » Si on te dit « T'es bête ! », réplique : « C'est sûr, c'est pas comme toi. C'est tellement intelligent de se moquer des autres… »

✳ L'indifférence : ICE PROTECT

Ça n'empêche pas d'être blessé mais c'est très efficace. Les moqueurs veulent que tu réagisses en te mettant en colère. Ne leur donne pas ce plaisir. Ils auraient atteint leur but et t'asticoteraient de plus belle. Ne réponds pas quand ils t'interpellent avec des noms idiots : laisse-les dire, ils finiront par se lasser.

✳ La mise en garde : F-GAFFE VIRTUA FIGHTER

Prends une voix assurée pour dire aux moqueurs qu'ils devraient se méfier : un jour, on pourrait bien rigoler en parlant de leur taille, nez, vêtements, etc.

✳ L'attaque : DEAD OR LIVE SUPER COMBO

Regarde ton adversaire droit dans les yeux et sors-lui une réplique bien sentie. Si on te dit « T'es mal fringué ! », réponds « Ah ouais ? Pourtant, j'ai pris modèle sur toi ! ». Parle avec assurance et sans agressivité même si au fond, tu trembles, ça fait toujours son petit effet.

Je suis premier, c'est pas le pied

Beaucoup aimeraient être à ta place !

Tes parents sont fiers de toi, les professeurs aussi et tes copains te demandent des conseils. Seulement voilà, les profs te citent en exemple trop souvent. Cela peut te mettre mal à l'aise vis-à-vis des autres : les premiers de la classe ne sont pas toujours bien vus ! Certains élèves peuvent te traiter de chouchou ou d'intello…

Je veux être astronaute plus tard et je n'ai que ça en tête. Dans ma classe, je passe pour un fayot parce que je travaille bien. Mais chaque fois que des garçons se moquent, je leur dis que moi je ferai un supermétier plus tard. Je m'accroche à cette idée et je ne les écoute pas.

Antoine, 11 ans

Je suis le premier de ma classe dans toutes les matières. On me traite de chouchou et même de « petit chien de la prof ». J'ai arrêté de travailler pour ne pas perdre mes copains et quand la prof principale m'a demandé ce qui se passait, je lui ai expliqué. Depuis, elle rend les devoirs sans dire qui est le premier et sans dire les notes.

Matthieu, 12 ans

Évidemment, on ne peut pas plaire à tout le monde.

Il y aura toujours quelques garçons ou filles qui se moqueront de toi ou seront jaloux de tes résultats. Peut-être aussi que ça les agace que tu sois toujours au courant de tout et que tu étales un peu trop ta science.

1. Essaie juste d'être un peu plus discret !

2. Prouve-leur que « fort en tout » ne rime pas forcément avec « prise de chou ». C'est pas parce qu'on sait beaucoup de choses qu'on est forcément ennuyeux.

3. Partage tes centres d'intérêt avec ceux qui voudront, fais-leur découvrir un livre que tu as vraiment bien aimé, demande-leur leur avis sur tel ou tel sujet, ils apprécieront que tu ne les prennes pas de haut et seront sûrement contents que tu t'intéresses à eux.

4. Tu peux aussi proposer ton aide dans les matières difficiles. Et pour ne vexer personne, offre un échange à tes copains : je t'aide en maths et tu m'aides en anglais.

Au secours, je suis le dernier !

Dur, dur d'être le dernier. C'est sûr, mieux vaut être en milieu de peloton.
Au moins, on ne te voit pas et on ne parle pas de toi. Alors que dernier...
c'est difficile à supporter.

Tu travailles, mais les résultats ne suivent pas

Tu as peut-être un problème de méthode. Explique à tes professeurs que malgré ta bonne volonté et tout le travail que tu fournis, tu as du mal à t'en sortir. Ils te diront comment faire pour retenir l'essentiel dans leurs cours et te donneront des trucs pour être efficace.

Avance petit à petit en te fixant des objectifs que tu seras capable d'atteindre. Si tu as 5 de moyenne en français, essaie d'avoir 8 le mois prochain. Chaque progrès que tu feras te motivera et tes efforts finiront par payer. Si tu le leur demandes, les enseignants peuvent t'aider, par exemple en te proposant de faire des exercices en plus et de te les corriger, juste le temps de refaire surface. As-tu pensé à tes copains ?

Certains accepteront de t'épauler !

Tu es le dernier car tu ne travailles pas assez

Tu ramènes sans arrêt des mauvaises notes à la maison et c'est la guerre ? Tes parents te harcèlent pour que tu travailles plus ? Vois ce que tu pourrais améliorer. Tu passes peut-être plus de temps à t'amuser qu'à te plonger dans tes bouquins ? Fais tes devoirs avant de jouer. Tes efforts seront récompensés : tu auras de meilleurs résultats, du temps pour toi, tes parents seront fiers de toi et ils ne te prendront plus la tête.

L'AVIS DE L'EXPERT

Ce n'est pas parce que tu es le dernier que tu es nul. Il ne faut surtout pas te dévaloriser. Il existe des dizaines de raisons pour lesquelles on n'arrive pas à travailler, la santé, la famille, les difficultés à s'adapter et à s'organiser... Même si tu ne réussis pas ton année, ne t'enferme pas sur toi et discute avec tes professeurs et avec tes parents pour essayer de comprendre avec eux pourquoi tu as des difficultés.

Ghislaine Kerveillant,
professeur de français

Vive les exposés !

Tu viens de découvrir le sujet de ton tout premier exposé. Ton prof a dressé une liste pour le trimestre et vous a proposé de vous mettre par groupes pour traiter le thème que vous voulez faire découvrir à la classe. L'exposé, c'est une véritable enquête. C'est l'occasion de travailler à plusieurs dans la joie et la bonne humeur et d'échanger vos opinions.

OÙ CHERCHER DES INFOS ? Tout le monde n'a pas un ordinateur et Internet ou une bibliothèque près de chez lui. La solution tient en trois lettres : CDI (cf. page 133). Tu le découvriras avec un de tes professeurs, mais très vite tu y travailleras seul ou en groupe. Le documentaliste qui le gère peut t'aider. Il t'expliquera comment on s'y retrouve dans tous ces rayons et comment dénicher le livre dont tu as besoin.

Avant de vous lancer dans les recherches, soyez sûrs de bien comprendre ce qu'on vous demande. Si vous avez un doute, parlez-en avec votre professeur.

⚙ Relisez régulièrement le thème de l'exposé pour ne pas vous en écarter.

⚙ Avant de faire un plan, amassez un maximum d'informations. Attendez de voir quels documents vous allez trouver avant de construire votre travail, cela vous fera gagner du temps.

☐ Timide

⚙ Si vous cherchez des infos sur Internet, ça ne sert à rien d'imprimer 1 000 pages d'un coup ! Il faudrait tout trier ensuite et vous perdriez beaucoup de temps. Ne sélectionnez que ce que vous avez lu et qui vous semble intéressant.

⚙ Écrivez votre plan et intégrez dans chaque partie les textes que vous avez trouvés à la bibliothèque.

☐ Mort de rire

⚙ Triez les textes et les photos que vous aurez collectés.

☐ Super à l'Ouest

⚙ Lorsque votre exposé sera terminé, répartissez-vous les parties que vous allez présenter chacun à votre tour et entraînez-vous à les lire puis à les dire à haute voix. Vous pouvez même vous chronométrer pour voir combien de temps vous allez parler.

Démasque tes atouts

Identifie tes points forts et tes points faibles et tu sauras comment progresser.

Même si tu as de mauvaises notes, tu sais faire des choses. Il n'y a pas d'un côté ceux qui réussissent et de l'autre ceux qui ratent.

Étape 1 : chaque mois, fais le point

À l'aide du bulletin de notes ou du livret de compétences, liste les matières où tu réussis et celles où tu as des difficultés. Lis bien les « conseils pour progresser » que le prof doit préciser à côté de son commentaire. Tu verras ainsi où doivent porter tes efforts. Enfin, réfléchis : comment pourrais-tu faire pour t'améliorer dans les matières où tu « pêches » ? En leur consacrant un peu plus de temps ? En essayant de travailler avec un copain ? En demandant de l'aide à tes parents ? Etc.

Étape 2 : analyse tes erreurs

Rater un contrôle, ça arrive à tout le monde. Ça ne veut pas dire que tu es nul. Une mauvaise note ne résume pas à elle seule tout ton travail. Ce n'est pas toi qui es jugé, mais ton niveau de connaissances à un moment précis.

L'essentiel, c'est de comprendre pourquoi, cette fois, ça n'a pas marché.

Ainsi, tu éviteras de répéter la même erreur. Se tromper, c'est positif : ça fait aussi avancer.

Comment avais-tu préparé ce contrôle ? Avais-tu simplement relu ta leçon, fait des exercices ? Pendant l'interrogation, as-tu bien lu les consignes avant de commencer ? As-tu compris toutes les questions et y as-tu entièrement répondu ? As-tu fait des erreurs alors que tu connaissais la réponse ? As-tu bien relu ? Comprends-tu les commentaires du professeur ? L'as-tu questionné ? Etc. En cherchant les réponses, tu pourras progresser.

Étape 3 : renforce ta motivation

Tu as des bonnes notes dans les matières qui te plaisent ? C'est logique ! Quand on aime, on est plus motivé ! Si malgré tous ses efforts ton enseignant n'arrive pas à te faire apprécier ce qu'il t'apprend, essaie d'aborder la matière autrement. Pourquoi ne pas rejouer l'Histoire avec tes soldats ou la revivre dans un roman historique ?

Tu sais, il existe même des enquêtes à résoudre au temps des pharaons ou au Moyen Âge. Ce sont des jeux PC très bien documentés.

Même si tu rates un contrôle, repère sur ta copie les points positifs : il y en a toujours ! Et quand tu apprends une leçon, visualise la bonne note sur ta feuille ou entends dans ta tête les félicitations du prof. Ça aide !

Pendant cette période de transformation qu'est la préadolescence, tu risques de traverser des moments moroses, surtout si tu rencontres des difficultés à l'école. Des notes très basses ou de mauvaises appréciations ne feront pas de toi un nul. Tout le monde a des qualités et toi le premier. Il y a certainement une matière où tu te révèles très bon. Même si ce n'est pas une matière principale (dessin, musique...), l'essentiel est de s'y cramponner pour ne pas décrocher de l'école. Ne laisse pas le doute s'installer. Si tu n'es pas très bon en français mais excellent en guitare, analyse les qualités qui font de toi un bon musicien (patience, régularité...) et cherche à utiliser ces aptitudes dans le domaine scolaire.

Mais c'est qu'il se débrouille plutôt bien sur scène, ton fils !

Dire qu'il n'a jamais réussi à apprendre une poésie !...

J'aime pas l'école...

Le matin, tu as mal au ventre ou à la tête ? Tu t'inventes des maladies pour rester au chaud sous la couette ? Tu as des envies de vomir rien que d'y penser ?

Tout le monde n'aime pas l'école, mais sais-tu vraiment ce que tu n'apprécies pas ?

Les bâtiments, l'ambiance, le travail, les devoirs ? Es-tu certain de détester tout et tout le monde ? Peut-être y a-t-il quelque chose qui te perturbe particulièrement en ce moment, des professeurs qui sont sur ton dos ou des élèves qui t'agressent ? Parles-en à ton délégué ou à ton prof principal.

T'AS PENSÉ AUX CLUBS DU COLLÈGE ?

Dans ton collège, il existe peut-être des « clubs » qui proposent des activités extrascolaires. Des élèves de toutes les classes et des profs s'y retrouvent entre les cours pour passer de bons moments, discuter, ou monter des projets. Sports, échecs, philatélie, musique... Les thèmes sont variés selon les établissements.
Certains profs de musique, par exemple, animent des groupes qui présentent un concert de fin d'année.
Il peut exister des clubs de théâtre, de sculpture ou de BD.
Tu pourrais aussi participer à la création d'un journal, proposer des projections de films entre midi et 2 heures si tu fais partie du « club ciné » et même participer au tournage d'un film !
Inscris-toi dans un de ces clubs : c'est un excellent moyen de se faire des copains qui seront sur la même longueur d'onde que toi !

Ce n'est pas toujours facile d'exprimer ce qu'on ressent avec des mots. Alors parfois, c'est le corps qui parle à ta place ! Tu as mal au ventre ou à la tête avant de partir pour l'école ? C'est que tu lances un appel à tes parents pour qu'ils t'écoutent. Discute avec eux de ce que tu ressens. Et si ton angoisse reste très forte, il faut peut-être en parler à un médecin.

Sylvie Companyo, psychologue

Pour mieux vivre cette situation, fais une liste dans laquelle tu écriras tout ce qui pourrait te donner envie d'aller au collège : la cantine, un pion sympa, un vrai copain, un prof plus gentil que les autres... Tu verras que tu trouveras pas mal de choses qui valent le coup ! Si tu y vas pour ces bonnes raisons-là, ça te donnera du courage.

Aïe! Je redouble!

Ça ne veut pas dire que tu es plus bête qu'un autre !
Des tas de raisons peuvent être la cause de ton
redoublement : tu as peut-être eu du mal à t'adapter
au collège, à te concentrer, trop de choses à
gérer, des soucis dans ta famille ou une envie
de t'amuser un peu trop importante,
des copains pas supersérieux qui t'ont
entraîné à taper un peu trop souvent
dans le ballon…

Tu te sens sûrement coupable et tu te dis
que tu aurais pu éviter ça, tu as un peu
honte aussi car tes copains passent en classe
supérieure et pas toi : ces sentiments sont
bien normaux mais ça ne sert à rien
de ruminer. Fais le point sur ce qui a pu
te perturber cette année et dis-toi que,
malgré tout, le redoublement a du bon !

L'AVIS DE L'EXPERT

Le redoublement est trop souvent
ressenti comme une punition.
En réalité, il est décidé par l'ensemble
des professeurs pour le bien de l'élève
si celui-ci risque de perdre pied l'année
suivante. En fait, on lui conseille
de reculer pour mieux sauter.

*Ghislaine Kerveillant,
professeur de français*

**Tes professeurs ont bien réfléchi avant
de prendre cette décision**, ils ont jugé
qu'elle serait la meilleure pour toi.
Et en effet, même si elle te paraît
terrible, cette solution est la bonne
car elle va te permettre de revoir tous
les programmes et de repartir sur de
bonnes bases. Tu te sentiras plus à l'aise
car tu comprendras mieux les cours,
tu pourras souffler un peu, tu auras
de meilleures notes et tout te semblera
plus simple. Tu pourras alors progresser
en beauté !

J'ai d'abord eu honte quand j'ai
redoublé ma 6e. Je n'osais pas le dire.
Mais ce qui fait le plus mal, c'est de
perdre tous ses copains et de les voir
en 5e l'année d'après.
Et puis finalement, on trouve ça cool,
parce qu'on se retrouve dans
les premiers de la classe. Forcément,
on se souvient des leçons.

Clément, 13 ans

Balèze en langues en 7 leçons

Et si tu te passionnais

pour une nouvelle langue ?

Ça tombe bien, au collège, tu vas en apprendre deux ou trois : anglais, allemand, italien et même russe ou chinois selon les établissements ! Et si tu adores le français, le latin te permettra de comprendre plein de choses sur ta propre langue… Tu pourras aussi, dans certaines régions, t'initier à l'occitan ou au breton (cf. page 136) !

⚙ Le vocabulaire

Que dirais-tu de lire des *comic strips* (petites B.D. en 3 cases) ? C'est très court et il y a peu de mots. Essaie de comprendre le sens grâce aux images et si tu as un doute, demande à ton prof de langues. *Garfield* est un bon exemple de *comic strips*.

⚙ DVD en VO

Je suis sûr que tu as vu ton film préféré plus de dix fois en DVD. Qu'il s'agisse de *Star Wars* ou de *Harry Potter*, tu connais les dialogues par cœur. Cette fois, revois-le dans une autre langue. D'abord avec le sous-titrage et ensuite sans. Tu ne vas pas tarder à reconnaître certains mots et à en découvrir d'autres.

⚙ Chante dans une autre langue

Et si tu demandais à ton prof de langues de te traduire un morceau de ton groupe étranger préféré ? Tu n'aurais plus qu'à apprendre les paroles par cœur. Progrès assurés si tu chantes avec lui.

⚙ Communique dans une autre langue

Avec tes copains, parlez en anglais ou en espagnol pendant une journée ! Prépare-toi aux fous rires quand ils vont te demander du sel à table, ou une feuille en cours.

⚙ Stage linguistique ou voyage de classe

Si tu as la chance d'aller en Allemagne, en Italie ou en Angleterre, essaie de ne pas parler français, ce serait dommage de gâcher une telle opportunité.

御早う
ohayou !

SALUT!

⚙ The Big Challenge

Et si tu participais à un concours national d'anglais avec des élèves d'autres collèges français ? Parle à ton prof de ce grand QCM et, pour en savoir plus, va voir sur Internet à l'adresse suivante :

www.thebigchallenge.com

⚙ Corresponds avec des étrangers

File sur Internet à l'adresse suivante : www.momes.net et fais la connaissance de jeunes anglais, canadiens ou autres qui veulent correspondre. Tu peux aussi demander à ton prof de langues si ton collège est jumelé avec une école étrangère. Vous pourriez vous écrire, entre classes puis entre élèves.

L'année dernière, j'ai participé à un camp de jeunesse pour la paix organisé dans la Somme. Des jeunes anglais, allemands et italiens s'y réunissent tous les étés pour nettoyer les tombes des soldats morts pendant la guerre de 1914-1918. En vivant pendant 1 mois avec des étrangers, j'ai beaucoup communiqué en anglais et appris à connaître d'autres cultures.

Vincent, 14 ans

En 5ᵉ, je suis parti 7 jours à Londres dans une famille. Au début je ne comprenais rien, mais ça s'est vite arrangé. À la fin, je commençais même à discuter un peu avec ma famille d'accueil.

Franck, 13 ans

Je veux suivre une autre voie

Tu es encore jeune pour savoir ce que tu voudrais faire plus tard et tu as tout ton temps pour y penser. Mais tu peux déjà commencer à te documenter sur les métiers qui existent en consultant les fiches métiers au CDI, cela peut te motiver. Parle à ton conseiller d'orientation psychologue de ce que tu aimerais faire plus tard. Explique-lui ce que tu ressens et donne-lui ton avis sur l'école. Il t'écoutera et te fera découvrir d'autres voies possibles.

L'AVIS DE L'EXPERT

Apprendre un sport reste de toute manière une bonne façon de te sentir bien dans ta peau, tout comme la musique, le théâtre ou toute autre activité artistique. Certains collèges proposent d'ailleurs des horaires aménagés pour que tu puisses pratiquer pleinement ces matières, renseigne-toi auprès de ton conseiller d'orientation.

*Ghislaine Kerveillant,
professeur de français*

Vers le lycée professionnel

Pendant ton année de 3e, tu pourras choisir de continuer tes études générales ou d'apprendre un métier. Dans ce cas, le lycée professionnel te propose de préparer un CAP (certificat d'aptitude professionnelle) en 2 ans ou d'entamer la filière de la seconde professionnelle qui te dirige vers le BEP (brevet d'études professionnelles) et le bac pro. De nombreux métiers sont enseignés au lycée : électricien, plombier, mécanicien, et même maître-chien, maréchal-ferrant… Découvre à quoi pourrait ressembler ton avenir sur le site de l'ONISEP : www.onisep.fr.

La voie du sport

Tu es doué en sport ? Il existe peut-être une solution pour que tu puisses vivre à fond ta passion. Parles-en à ton professeur d'EPS ou à ton entraîneur de club. Ils sont aptes à juger tes vraies capacités. Certaines fédérations sportives proposent, en partenariat avec des collèges, des formations poussées. C'est un excellent moyen de pratiquer une activité physique et de se diriger vers le haut niveau. Mais l'école n'est pas mise de côté pour autant, au contraire. Travaille sérieusement les matières générales si tu veux être gardé dans cette filière.

La concurrence est rude !

J'ai peur de la violence

Elle est présente partout,
et tu peux la voir aux infos et dans les journaux. Mais la violence n'est pas aussi fréquente que les médias le laissent entendre.

Les chiffres 2007-2008 de la violence à l'école indiquent une moyenne de 4 incidents graves pour 1 000 élèves par trimestre (source journal *Libération*).

Il existe de multiples formes d'agressions :
les insultes, les bagarres, le racket et même les violences sur tes affaires. Tu es victime de brutalités ? Tu n'as qu'une chose à faire, en parler à un adulte (professeur, parent, ou autre). Je sais, ce n'est pas toujours facile. Les victimes ont souvent honte de ce qui leur est arrivé. Pourtant, si tu es confronté à ces situations, tu dois prendre ton courage à deux mains et raconter les faits. Cela ne fait pas de toi un cafteur. En plus, ton silence pourrait encourager les agresseurs à continuer et à s'attaquer à d'autres. Tes parents peuvent même porter plainte à la police car les violences sont strictement interdites et doivent être sanctionnées par la loi.

L'AVIS DE L'EXPERT

Si tu es victime de violences et que tu n'arrives pas à en parler, tu peux profiter des heures de vie de classe pour aborder ce sujet de façon plus large. Il te sera alors plus facile de parler de ce qui t'est arrivé et tu te sentiras libéré d'un grand poids.

Ghislaine Kerveillant,
professeur de français

Les mots contre la violence

Parler permet de ne pas en venir aux mains.

1. **Il faut toujours essayer de régler les conflits en s'expliquant avant**

La brutalité est souvent due à une difficulté à exprimer ses sentiments. On ne sait pas comment dire ce qu'on pense, on ne trouve pas les bons mots, on s'énerve et on devient agressif. Quelquefois aussi, on vit la violence en famille : chômage, divorce, problèmes d'alcool peuvent engendrer des comportements violents.

2. **Parler, c'est aussi dire sa souffrance**

Il faut raconter les événements que tu as vécus. C'est un premier pas vers la guérison. Si tu as été victime de violence, parle à quelqu'un en qui tu as confiance (un copain, un surveillant, ton prof, tes parents…) et raconte-lui les circonstances de cette expérience choquante.

L'AVIS DE L'EXPERT

Le plus souvent, la violence surgit d'une difficulté à s'exprimer, à dire les émotions qu'on ressent. La peur de l'autre, l'envie, la jalousie engendrent aussi la violence. Et puis, quand certains élèves vivent dans un climat violent, il leur est difficile d'agir différemment de ce qu'ils voient et subissent tous les jours. La meilleure défense face à la violence restera toujours la parole et le dialogue.

Guy Thépaut, psychologue

ché pas comment dire oim' !!

C'est déjà bien de s'en apercevoir…

3. **Exprimer en classe les problèmes qui te tiennent à cœur peut aider à en résoudre une partie**

Tu peux aborder les thèmes du racisme, du racket, du vol, des insultes. Un débat pourra être lancé et toi et tes camarades pourrez vous poser des questions, interroger votre professeur et donner votre avis.

Un jour, à la récré, deux copains se sont bagarrés. Je suis allé chercher le pion qui les a séparés. En classe, ils n'étaient toujours pas calmés. Le prof de français a lancé un débat sur la violence. On a tous participé et à la fin, mes copains se sont rendu compte que leur dispute était ridicule. Ils se sont réconciliés.

Augustin, 13 ans

SI TU ES TÉMOIN

Tu as été choqué par des scènes de violence ou des insultes dans la cour ? Réagis : même si elles s'adressaient à un autre que toi, ne le laisse pas tout seul face à son agresseur. Va l'aider, ou appelle quelqu'un pour le sortir de là. Tu pourras également parler en classe de cet événement : l'heure de vie de classe est aussi faite pour ça. Ton intervention pourra peut-être désamorcer d'autres conflits.

4. Appeler un médiateur pour gérer une situation qui tourne en bagarre

C'est une excellente initiative. N'hésite pas à faire intervenir un de ces adultes ou jeunes formés au dialogue. Il discutera et aidera les « ennemis » à régler leurs problèmes autrement que par la violence.

Avec ma classe et ma prof principale, on est allé visiter un tribunal et on a rencontré un juge des enfants. C'était drôlement impressionnant et les costauds de la classe, ça les a un peu calmés. Tu devrais le proposer à tes profs.

Abdallah, 12 ans

5. Des spécialistes de la violence peuvent intervenir dans les écoles

Ils peuvent sensibiliser les élèves à la lutte contre la violence. Demande à ton professeur principal de faire venir un policier, un juge pour enfants ou un éducateur spécialisé. Ils vous expliqueront les lois, vous raconteront ce que risquent ceux qui agressent les autres.

Bon, là il est temps d'aller chercher les casques bleus...

155

Vivre la famille

C'est comme ça, les parents, les frères, les sœurs,
un coup tu les adores et un coup tu les détestes.
C'est normal, ils sont tout pour toi.
Mais quelquefois, ils t'énervent, parce qu'ils ne te comprennent pas.
Et si tu lisais ce qui suit, pour mieux vivre en famille ?

Prêt ? Allons-y !

Parents, mode d'emploi

Quels sont les comportements des parents
les plus fréquents ?

Apprends à les identifier : ta vie sera plus facile !

🔘 Le papa copain

Comment le reconnaître : Vous êtes
complices et partagez plein de « trucs
de mecs » : bagarre, foot, bricolage…
Tu aimes te confier à lui. C'est génial
de si bien s'entendre avec son père.
Mais pour grandir, tu vas devoir te détacher
de lui. Cela risque d'être dur. Comment
t'éloigner de celui à qui tu ressembles
le plus sans lui faire de la peine ?

Comment l'apprivoiser : Tu n'es pas obligé
de tout lui dire. Garde un « jardin secret ».
Quand tu n'es pas d'accord, dis-le-lui,
en douceur, il comprendra très bien.

🔘 La maman poule

Comment la reconnaître : Elle adore
s'occuper de toi, te couver, préparer tes
affaires, ranger ta chambre, etc. Tu n'as
besoin de penser à rien : elle est toujours
derrière toi. Mais parfois c'est pesant,
car elle t'empêche de faire tes propres
expériences. Elle te surprotège.

Comment l'apprivoiser : Tu vas devoir lui
apprendre à se passer de toi petit à petit.
L'astuce : la prendre de vitesse.
N'attends pas qu'elle prépare tes vêtements :
devance-la. Elle semble contrariée ? Rassure-
la : ses attentions te font plaisir.
Mais dis-lui que tu aimerais essayer
par toi-même et que ça ne t'empêche
pas de l'aimer toujours !

◉ Le papa chef

Comment le reconnaître : Avec lui, c'est toujours non. Il sait que son fiston chéri n'est plus tout à fait le même. Et cela ne lui plaît pas du tout ! Il veut savoir où tu vas et avec qui... Sa grande terreur : tes fréquentations. Il ne voudrait pas que tu deviennes un voyou.

Comment l'apprivoiser : Ton avenir le tracasse, tu grandis et tu veux t'émanciper mais il veut garder un œil sur toi. Rassure-le. Confie-toi à lui, tiens-le au courant des copains que tu vois. Il sera de bon conseil et heureux que son avis compte toujours pour toi.

◉ La maman garde-à-vous

Comment la reconnaître : Avec elle, tu as l'impression de ne rien pouvoir faire ! Pas de portable, pas de sortie, pas de scooter, etc. Tes copains ont cent fois plus le droit de faire des choses que toi. Aïe ! Tu ne dois pas rigoler tous les jours. Mais au moins, tu sais où tu vas, ce qui est interdit et ce qui ne l'est pas.

Comment l'apprivoiser : Elle a peur pour toi et veut te protéger. Mets-toi à sa place. Si elle ne connaît rien de ta vie, c'est normal qu'elle se fasse des idées. Confie-toi plus. Raconte-lui tes sorties, tes amis... Fais intervenir des alliés, ton père ou un grand frère : ils lui parleront.

◉ Le papa gâteau

Comment le reconnaître : Il est toujours prêt à jouer, à faire la bagarre avec toi et te chahute sans cesse. Il ne voit pas que tu grandis et que tu voudrais être considéré comme un grand.

Comment l'apprivoiser : Sois logique ! Ne te lance pas dans des bagarres complices pour le rejeter après. Ton pauvre papa ne va pas s'y retrouver. Fais-lui passer le message en douceur. Aborde des sujets de conversation un peu sérieux et montre-lui que tu sais prendre des responsabilités.

5 vérités sur les parents

Comment comprendre leurs réactions et mieux vivre avec eux ?

1. Ils sont inquiets de nature

Eh oui, c'est comme ça ! Depuis que tu es né, ils ont toujours peur qu'il t'arrive quelque chose. Il va falloir t'y habituer. Maintenant que tu le sais, tranquillise-les dès que tu le peux.

2. Ils ne sont pas parfaits

Comme tous les êtres humains, ils ont des qualités et des défauts. Et c'est plutôt rassurant, non ? C'est la preuve qu'ils sont normaux. Qu'eux aussi, tout comme toi, ils peuvent se tromper quelquefois, être en colère ou bien mentir… Ce ne sont pas des superhéros !

3. Ils aiment se replonger dans leur enfance

Les parents oublient souvent qu'ils ont eu ton âge et qu'eux aussi, ils ont eu du mal à « élever » leurs parents. Pourtant ils aiment bien se rappeler quand ils étaient petits. Rafraîchis-leur la mémoire de temps en temps. Cela pourra t'être très utile pour leur faire comprendre tes problèmes…

4. Ils te prennent souvent pour un bébé

Ce n'est pas facile pour eux de te voir grandir. Alors, c'est à toi de leur montrer que tu as changé.

5. Ils sont obsédés par tes résultats scolaires

Forcément, ils veulent ce qu'il y a de mieux pour toi. Ils s'inquiètent de ton avenir et souhaitent te donner le plus d'armes possible pour réussir dans la vie. Ils pensent que l'école peut t'y aider. Pour eux, les connaissances qu'elle t'apporte pourraient, par exemple, te guider pour choisir un métier ou savoir comment te conduire avec les autres.

Si tu étais papa...

Tu serais papa poule,
papa pote ou père Fouettard ?

1. La chambre de ton fils ressemble à Tokyo après le passage de Godzilla...

A Tu te mets à 4 pattes et tu commences à ranger.
B Tu laisses couler, ça te rappelle ta jeunesse.
C Tu lui donnes 15 min pour reconstruire la ville.

2. Sur ton lit, tu trouves son bulletin de notes : nul...

C Tu le convoques pour demain 8 heures.
B Ça te fait sourire, mais il faudra bien dire quelque chose.
A Avec tous les exercices que tu lui fais faire, tu te trouves mal noté.

3. Il rentre du collège et sent la cigarette...

A Tu l'avertis que sa mère va le sentir.
B Tu lui accordes 2 cigarettes par semaine.
C Tu le tortures pour qu'il avoue.

4. Il rentre à 5 heures du matin au lieu de minuit...

A Tu lui prépares son lit.
B Tu lui demandes s'il a trouvé une copine.
C 5 heures de retard = 5 heures de corvées.

5. Tu le surprends sans casque sur son scooter...

C Tu supprimes le scooter pendant une semaine.
A Tu lui en achètes un nouveau superbeau.
B Tu lui dis avec une claque dans le dos que c'est idiot.

+ de **A** : papa poule

Tu es du genre à couver ton protégé. Mais attention, ce n'est pas un œuf. Il faudra le laisser grandir et faire sa propre expérience de la vie. C'est bien de lui éviter le danger mais il devra aussi se débrouiller seul.

+ de **B** : papa pote

Tu voudrais être proche de ton enfant, c'est super. Un père copain, c'est sympa, mais il doit tout de même rester à sa place, être éducateur tout en étant compréhensif. Ne mélange pas copains et parents. Chacun son rôle.

+ de **C** : père Fouettard

Rien ne passera ! À la moindre faute, tu puniras. Ce n'est peut-être pas la meilleure solution. Bien sûr, il faut sévir de temps à autre, mais expliquer et laisser une chance, c'est bien aussi, tu ne crois pas ?

Tu n'as plus 6 ans

Pour toi, c'est évident, tu n'es plus un bébé
Tu as des idées et des projets bien à toi. En clair, tu as grandi. Mais, pour tes parents, tu restes leur petit garçon. Peut-être qu'ils ne te regardent pas avec leurs yeux mais avec leur cœur. Comment leur expliquer en douceur que tu n'es plus un enfant ?

Jusqu'à présent, ils t'ont montré le chemin, t'ont fait évoluer et ne prennent pas conscience que, pour certaines choses, tu peux te débrouiller seul. Montre-leur que tu n'es plus un gamin. Mais attention, être grand, c'est l'être pour tout et pas seulement pour ce qui t'intéresse.

✳ Tu réclames un peu de liberté ?
Montre à tes parents que tu sais gérer ton planning, que tu t'es bien avancé dans tes devoirs pour laisser du temps à tes loisirs…

✳ Tes parents sont trop sur ton dos ?
N'attends pas qu'on te demande les choses pour les faire. Range spontanément ta chambre, mets le couvert, descends la poubelle… Prouve qu'on peut compter sur toi sans réclamer.

✳ On te parle comme à un enfant ?
Révise ton attitude. Ne boude pas si on te fait une remarque. Ne fais pas de caprices ni de colères.

Petit à petit, tu verras, le comportement de tes parents va changer si le tien n'est plus le même. Fais preuve de maturité aussi pour les choses sérieuses et le retour sera payant.

Avant, je ne pouvais rien faire tout seul, ma mère avait peur de tout. Depuis un moment, j'insiste pour faire des courses sans elle, pour qu'elle me confie de l'argent et que j'apprenne à me débrouiller. Tout doucement, elle commence à accepter.

Lucas, 11 ans

Tu sais, la liberté, ça ne vient pas du jour au lendemain. Si tu avais la responsabilité d'un petit frère, tu ne lui ferais pas confiance tout de suite, non ? Tes parents c'est pareil. Laisse-leur le temps d'apprendre.

Maxime, 15 ans

Je me sens incompris

Tu voudrais que tes parents captent mieux ce que tu veux leur dire, mais tu as l'impression qu'ils sont toujours à côté de la plaque ? Pour cette raison, tu es plus proche de tes copains. C'est normal, vous vous ressemblez. Tu es en train de changer et même si cette transformation s'étend sur 4 ou 5 ans, c'est un peu rapide pour ta famille. Tu as parfois toi-même du mal à te comprendre, alors imagine tes parents.

Mon père est souvent absent et, depuis que ma mère a repris le travail, on ne se parle plus beaucoup à la maison. Heureusement, ma sœur de 18 ans prend le temps de m'écouter.

Victorien, 12 ans

Quel sens donnes-tu à « incompris » ?
Qu'on ne consacre pas assez de temps à t'écouter, que ton père est toujours absent, ou encore qu'on répond toujours trop vite et à côté à tes questions ? Dans ce cas, il existe des solutions. Trouve le bon moment pour discuter de tes soucis. Le repas peut être un instant privilégié, mais tu peux aussi attendre que tes parents soient seuls pour leur parler. Ainsi, tes frères et sœurs ne se mêleront pas de ta vie. Au calme, tes parents prendront le temps de t'écouter. Si leur métier les éloigne souvent de la maison, laisse-leur un mot pour leur dire qu'ils te manquent. Demande-leur leur adresse mail. Un courrier ne remplacera jamais un vrai contact mais tu seras surpris des choses qu'on peut se dire à distance et même parfois plus facilement.

Fais preuve d'imagination. Tes parents sont peut-être pris dans le tourbillon de la vie. Propose-leur une pause. Invite ta mère à faire une balade… Passez un pacte : « Je laisse ma console, et toi, tu oublies un peu la maison. » Surprise, elle verra que tu as besoin d'elle, même si au fond elle le sait.

Frères et sœurs : stratégie pour avoir la paix

Ton frère ou ta sœur empiète sur ton domaine ?
Il faut agir avant la guerre.
Voici le plan d'action...

Établis une règle d'or : Par principe, on ne se sert pas sans permission. Ceci vaut pour toi aussi. Si l'un de vous veut quelque chose qui appartient à l'autre, il le demande. Tu peux également décider d'une zone neutre et y entreposer des jouets « libres » que tout le monde pourra emprunter.

Écris sur un papier les lignes de conduite que vous vous êtes fixées ta sœur et toi. En cas de non-respect, ressors la liste et montre-la-lui. Si elle persiste, porte le papier à ta mère, pour qu'elle tranche.

Moi, quand j'ai envie de claquer mon frère, je tape mon oreiller. Je suis tellement énervé qu'il quitte la chambre.

Théo, 12 ans

En cas de grosse colère, ne casse pas tes affaires ni les siennes. Sors plutôt courir 10 minutes pour évacuer le trop-plein d'émotion. Résous le problème une fois que tu seras calmé.

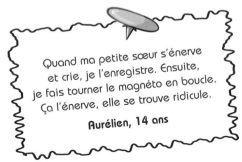

Quand ma petite sœur s'énerve et crie, je l'enregistre. Ensuite, je fais tourner le magnéto en boucle. Ça l'énerve, elle se trouve ridicule.

Aurélien, 14 ans

Propose à ta sœur la création d'une cagnotte antibaston. Chaque fois que vous réussissez à vous expliquer sans crier, mettez une pièce dans la tirelire. Invite tes parents à participer. Lorsque la somme est rondelette, achetez-vous un jouet qui sera rangé en zone neutre.

7 trucs pour convaincre tes parents

Comment s'y prendre pour obtenir quelque chose de ton père ou de ta mère ?

1. Choisis le bon moment

Un parent est plus facile à convaincre détendu. Ne l'agresse pas quand il rentre grognon du travail. Ne réclame pas une faveur si tu as été puni récemment.

Impossible de négocier avec mon père. Quand il dit non, c'est non. Et si j'insiste, je gagne une punition. Ma sœur a un peu d'influence, alors quelquefois elle vient à la rescousse.

Thibault, 12 ans

2. Mets toutes les chances de ton côté

Deviens un fiston modèle : range ta chambre, aide aux tâches ménagères sans qu'on te le demande. N'exagère pas trop quand même, cela semblerait louche.

3. Évite la comparaison

Ne te sers pas de l'argument : « Oui mais les parents de Tony, eux… » Un parent n'aime pas qu'on lui force la main. Tu risques de le bloquer. Sois plus subtil.

4. Prépare tes arguments

Ils ne veulent pas que tu dormes chez ton copain Pierre qu'ils ne connaissent pas bien ? Propose-leur d'appeler sa mère pour les tranquilliser. Ils ne veulent pas te donner d'argent de poche ? Dis-leur que tu apprendrais la valeur des choses, et aussi à gérer. Cela t'aiderait pour plus tard !

5. Ne demande pas tout en même temps

Ne sois pas trop gourmand. Si tu leur demandes à la fois d'aller au cinéma seul, d'avoir de l'argent de poche et d'adopter un chien, tu cours droit au refus ! Vas-y en douceur, une chose après l'autre.

6. Apprends à renoncer

Si tu te heurtes à un refus catégorique, n'insiste pas. Inutile de faire une colère. Tu obtiendras l'effet inverse de ce que tu cherches. Tes parents vont se braquer et n'auront pas envie de te faire plaisir.

7. Respecte les consignes

Tu as leur accord ? Alors, suis le contrat que vous vous êtes fixé. Rentre à l'heure, ne mens pas… Prouve-leur qu'ils peuvent te faire confiance. La prochaine fois, ce sera encore plus facile.

On t'oblige à faire une activité

Les parents veulent le bonheur de leurs enfants, mais ils souhaitent parfois plus.

Maman regrette d'avoir arrêté le piano, papa aurait pu être un grand joueur de tennis. Bref, il faudrait que tu sois tennisman et pianiste pour les contenter. Mais ton truc, c'est le dessin. Ou tu n'as pas envie de pratiquer d'activité.

Papa a toujours rêvé de traverser l'Atlantique...

Quelques trucs

Ton père désire que tu sois champion de tennis. Si tu n'aimes pas ce sport, ton titre est compromis. On fait peu d'étincelles dans une activité qui ne nous attire pas. Autant que tu choisisses ce que tu veux faire. Ta motivation aidera à ta réussite. Il voudrait que tu fasses du tennis ?

Demande-lui pour quelles raisons il aime ce sport. Tu éprouves peut-être le même plaisir pour autre chose. Explique-lui.

Papi, mamie, au secours !

Tes grands-parents peuvent être de bons médiateurs. Ils ont élevé ton père ou ta mère, ils peuvent leur rappeler des souvenirs. Ta mère voulait jouer du piano, elle regrette d'avoir arrêté. Mais toi et elle êtes différents. Demande conseil à tes grands-parents. Ils trouveront les mots justes pour convaincre papa ou maman.

Et s'ils avaient raison...

Tes parents ont peut-être décidé de t'obliger à pratiquer une activité parce qu'ils s'appuient sur un fait objectif : le cerveau est moins « rigide » quand on est jeune et on assimile mieux. Tu peux leur opposer que tu feras de la musique ou du sport quand tu seras adulte, ils savent qu'une fois lancé dans la vie, tu auras moins de temps. Et avec l'âge, c'est plus dur de retenir des cours de solfège ou autre. Sache aussi que la plupart des champions ou artistes ont débuté tôt leur carrière. Réfléchis bien avant de dire non !

L'argent et toi

Tu es plutôt radin, dépensier ou gestionnaire ?

1. Ta grand-mère te donne 10 euros...

Ⓐ Ça tombe bien, tu as repéré un jeu PC d'occase.

Ⓑ Tu en dépenses 7 et tu en mets 3 dans ta tirelire.

Ⓒ Avec les 849 euros que tu as mis de côté depuis tes 2 ans, ça fait 859.

2. Ton petit frère adore ta figurine d'Astérix...

Ⓐ Tu décides de la lui offrir.

Ⓑ Tu la lui prêtes.

Ⓒ C'est 1 euro pour regarder, 3 euros pour toucher.

3. Sur le trottoir d'en face, tu vois une pièce de 50 centimes...

Ⓒ Tu traverses, même au feu vert.

Ⓐ C'est trop loin et en plus faut se baisser.

Ⓑ Tu la ramasseras au retour.

4. Tu as 18 ans et tu as gagné 1 million au loto...

Ⓑ Tu partages un peu, tu dépenses un peu et tu économises le reste.

Ⓐ Ce n'est pas assez pour acheter tout ce que tu veux.

Ⓒ Tu places le million dans un coffre-fort.

5. Pour tes fiançailles avec Camille, tu lui offriras :

Ⓒ Une invitation au mariage.

Ⓑ Une bague.

Ⓐ Tout ce qu'elle voudra.

As-tu une majorité de Ⓐ, de Ⓑ ou de Ⓒ ?

+ de Ⓐ : dépensier

Tu as décidé de te faire plaisir avec l'argent. C'est agréable de penser à soi et cela rejaillit positivement sur l'entourage. Mais, en dépensant sans anticiper l'avenir, tu risques de te mettre dans l'embarras. Il serait plus raisonnable d'être prévoyant.

+ de Ⓑ : gestionnaire

Ton rapport à l'argent est excellent. Avec les « sous » on peut faire des cadeaux, à soi comme aux autres, et surtout, on se prémunit contre les petits ennuis. C'est bien de le comprendre si tôt. Bravo.

+ de Ⓒ : radin

Tu ne devrais pas manquer de ressources plus tard. Mais il ne faut pas que l'argent devienne une obsession, tu passerais à côté de choses essentielles telles que l'amitié, l'amour et les plaisirs de la vie.

On en veut à ton argent de poche

Tes parents te donnent quelques euros tous les mois ? Ne te réjouis pas trop vite, car on va tout faire pour que tu les dépenses.

Les suspects

Fabricants de vêtements, d'articles de mode, de produits alimentaires, de disques… Tous t'observent dans l'ombre.

Ce qu'ils veulent

Te faire acheter leurs produits bien sûr ! Avec en moyenne 16 euros par mois d'argent de poche, tu les intéresses vivement. Rends-toi compte, chaque année, en France, les moins de 12 ans ont 2,5 milliards d'euros à dépenser ! Mais pourquoi s'acharnent-ils ainsi sur toi ?

Ton avis vaut de l'or !

Tu l'ignores peut-être, mais tu as beaucoup d'influence sur les achats de… tes parents ! On murmure même que ton avis déterminerait la moitié des dépenses de la famille ! Et cela ne concerne pas seulement les articles qui te sont directement destinés, mais aussi l'informatique, l'électroménager ou la future voiture. De plus, ces industriels préparent leur avenir. Sais-tu qu'une fois adulte, tu continueras d'utiliser plus de 50 % des produits que tu consommes à ton âge ? Intéressant, non ?

Leurs armes

Pour connaître parfaitement tes goûts, ils font des études très poussées. Ils envoient même des espions dans les cours de récré ! Plus fort : ils font tout pour que tu aimes leurs produits. En payant tes stars préférées pour porter leurs vêtements, par exemple. Bien vu car, quand on est fan, on fait tout pour ressembler à son idole. Autre tactique, « inonder » tes oreilles avec la chanson de leur dernier artiste, encore inconnu. Tu l'entends partout : à la radio, à la télé… Résultat, même si tu n'adorais pas ce chanteur au début, tu succombes, littéralement « intoxiqué ».

Ce que tu risques

Déjà, de dépenser sans compter, mais surtout de te faire manipuler. Influencé, tu finis par perdre ton esprit critique : tu n'achètes plus en fonction de tes goûts propres mais en suivant ceux qu'on t'impose. Tu t'imagines que, sans les dernières chaussures à la mode, tu ne peux pas être heureux. C'est dommage.

9 QUESTIONS POUR RÉSISTER

Bien sûr, il ne s'agit pas de vivre renfermé et de se priver de tout ce qui est à la mode. Mais simplement de réfléchir avant d'acheter, en se posant les bonnes questions :

- ◉ **Pourquoi as-tu envie de ce produit ?**
- ◉ **Le voudrais-tu toujours s'il n'était pas à la mode ?**
- ◉ **Pourrais-tu t'en passer ?**
- ◉ **Qu'est-ce que ça va t'apporter de l'avoir ?**
- ◉ **Ta décision a-t-elle été influencée par quelqu'un ?**

- ◉ **Estimes-tu que ça vaut le prix qu'on te demande ?**
- ◉ **Cela mérite-t-il le sacrifice d'une bonne partie de ton argent de poche ?**
- ◉ **Ne préférerais-tu pas économiser pour acheter quelque chose de plus important ?**
- ◉ **Si tu perdais cet objet, le rachèterais-tu ?**

9 pistes pour te faire de l'argent de poche

○ Tu peux vendre tes vieux jeux PC ou de console quand tu en as vraiment fait le tour. Certains magasins les reprennent.

Arnold, 11 ans

○ Moi, je nourris le chat de mes voisins le week-end et pendant les vacances. Ça me rapporte un peu d'argent.

François, 12 ans

○ Tu peux participer à un vide-greniers. Ça débarrasse et ça rapporte. Cool, non ?

Karim, 10 ans

○ Moi, je vends des maquettes à ceux qui n'ont pas la patience d'en faire. Ça me paye de quoi en racheter et un peu plus.

Farid, 13 ans

○ Ma mère me donne les vêtements de mon petit frère quand ils sont trop petits et je les vends dans les dépôts-ventes.

Antonio, 12 ans

En France, la loi interdit de faire travailler les enfants en dessous de 14 ans.
Selon le BIT (Bureau international du travail), 246 millions d'enfants de 4 à 15 ans travaillaient dans le monde en 2001.
Cela représente 1 enfant sur 6.
En Afrique, Asie et Amérique latine, ces enfants travaillent dans les champs, les mines et les ateliers, dans des conditions effroyables. Pour exemple, les ballons de foot sont tous fabriqués au Pakistan.
Ils sont achetés 50 centimes d'euro pièce au patron de l'entreprise.
Tu peux imaginer le salaire de l'enfant.

○ Il y a plein de personnes âgées dans mon quartier. Je leur rends des services et je récupère toujours une pièce par-ci par-là.

Constantin, 12 ans

○ Mon frère, il fait facteur pour les vieilles personnes. Il porte leurs lettres et leurs colis à la poste. Tu n'as qu'à essayer.

Marco, 9 ans

Pas de papa à la maison

Un papa est un modèle. Pour devenir un homme, tu fais comme ton père et parfois un peu le contraire. Dessiner sans modèle, c'est dur. Et grandir sans papa, ce n'est pas facile non plus.

> Mon frère et moi, on vit avec ma mère. Elle est un peu mère poule. Quand mon oncle vient nous voir, on discute de trucs différents. Enfin… ma mère, elle aime quand même bien le foot.
>
> **Gilles, 13 ans**

Tu vis seul avec maman ?

Peut-être n'as-tu pas connu ton père ? Tu ressens sûrement un manque par moments et de la tristesse. C'est normal d'éprouver ces sentiments. Si tu ne vois plus ton père, écris-lui des lettres, même si elles restent chez toi. Demande à ta mère de te parler de lui pour pouvoir l'imaginer mieux. Elle peut aussi t'emmener voir un psychologue qui t'aidera à comprendre et à vivre avec ce vide. Car il n'est pas facile de grandir sans avoir un modèle du même sexe que soi.

Il y a, dans ton entourage, des hommes que tu aimes bien ?

Ils ne remplaceront pas ton père mais tu peux suivre leur exemple. Si tu as confiance en l'un d'eux, tu te confieras peut-être à lui et un sentiment très fort peut vous unir comme un père et son fils.

Si tu vois ton père de temps en temps,

c'est différent. Cela ne veut pas dire que son absence soit facile à vivre, mais tu as un vrai contact. Profite des moments qui vous réunissent. Dis-lui qu'il te manque, même si tu comprends les raisons de son éloignement.

Maman, un modèle top

Une maman aussi est un modèle. Pas très masculin, mais tu peux prendre exemple sur elle pour construire ta personnalité. Sa façon de donner de l'amour, de s'organiser dans la vie, de résoudre les problèmes, sont autant d'exemples qui te serviront plus tard. Ce n'est pas parce que tu vis avec ta maman que tu ne vas pas devenir un homme ou que tu vas prendre des habitudes de filles. Ne t'inquiète pas, les mamans savent parfaitement faire grandir les garçons. Les bons modèles pour toi, maman, papa ou autre, ce sont ceux que tu aimes et qui t'aiment.

Maman, mes sœurs et moi

Tu te trouves cerné par les filles à la maison car tu es le seul gars ?
C'est sûr, ça doit t'énerver parfois !

Peut-être que tu ne vois que le côté embêtant de la situation. En réalité, être entouré de filles, c'est quelquefois bien appréciable.

⭐ Tes sœurs n'ont pas forcément envie de se bagarrer. Pas sûr non plus qu'elles soient fans des guerres en réseau. Mais ça ne veut pas dire que vous n'avez pas certains goûts semblables. À mon avis, tes grandes sœurs connaissent déjà bien l'informatique et elles vont pouvoir t'expliquer comment créer ton blog. Tes petites sœurs voudraient jouer aux Lego avec toi ? Invite-les dans ton histoire. Avec un petit effort de ta part, je suis sûr que vous allez trouver un terrain de jeu commun.

J'ai deux sœurs jumelles, plus grandes que moi d'un an et demi. Mes copains, ils en sont tous amoureux. Ils veulent toujours venir à la maison. Parfois, elles viennent m'attendre à l'école, je suis superfier.

Thibault, 12 ans

⭐ **Les grandes sœurs**

Souvent, ce sont de vraies petites mamans. Quand tu étais bébé, elles te câlinaient. Et maintenant, elles t'apprennent plein de choses et t'aident pour tes devoirs. En dehors du collège, elles peuvent t'épauler en cas de coup dur et te réconforter.

⭐ Petites ou grandes, avec tes sœurs, tu t'habitues à fréquenter les filles. Tu apprends la douceur, la galanterie, la délicatesse et la courtoisie. Toutes ces attentions qui te font rire pour le moment mais que ta petite amie appréciera sûrement. Lorsque tu découvriras l'amour, tu seras peut-être plus à l'aise.

Ton corps : propriété privée

Ton corps est à toi. Il est hors de question que quelqu'un y touche. Pour mieux te protéger des personnes mal intentionnées, écoute ton instinct. Si quelqu'un de ton entourage, ami ou membre de la famille, te met mal à l'aise par ses gestes, t'oblige à te déshabiller, essaie de mettre la main sur une partie intime de ton corps ou te demande de le caresser, parles-en à un adulte de confiance. Surtout, ne te laisse pas impressionner.

Sois plus rusé que ceux qui voudraient profiter de toi : ne suis pas un inconnu dans la rue. Quand tu sors avec des copains, dis à tes parents où tu vas. Tous les prétextes peuvent être bons pour t'emmener dans un endroit où personne ne pourra t'aider, alors reste en éveil et refuse par principe les offres bizarres qu'on pourrait te faire. En cas de doute sur une personne trop collante, préviens tes parents.

Souvent, malheureusement, les enfants sont abusés par des proches de la famille. Ils peuvent approcher les enfants sans être soupçonnés. De plus, le garçon qui est abusé n'ose pas parler de peur de ne pas être cru. N'oublie pas, dans ce cas, que d'autres adultes en qui tu as confiance peuvent t'écouter et t'aider. Famille, amis, voisins ou connaissances, personne n'est autorisé à profiter de ton corps. Les attouchements sont d'ailleurs très sévèrement punis par la loi.

Les chats et les forums peuvent également cacher des pervers. Rien n'est plus facile que de s'inventer une identité pour approcher plus facilement des jeunes. Tu ne sais pas à qui tu écris sur Internet : ne fais pas de confidences sur le web. Ne donne pas de nom, pas de téléphone et encore moins ton adresse. Refuse tout rendez-vous et parle à tes parents de toute conversation bizarre. Prends également un pseudo, si tu t'inscris sur un forum.

Quelques situations devraient t'inciter à la méfiance :
➡ Une proposition de séance de massage.
➡ Une série de photos « juste pour rire ».
➡ Un film en vidéo « pour essayer ».
➡ Une balade sans prévenir tes parents.
➡ Un excès de gentillesse sans raison.

J'ai été victime de maltraitance

*Tu es violemment battu ou bien on t'a obligé
à subir ou à faire des choses sexuelles ?*

C'est très grave. Personne n'a le droit d'agir
ainsi envers un enfant, surtout pas un adulte.
C'est interdit par la loi. Tu ne dois absolument
pas te sentir responsable. Tu n'y es pour rien.
Seul ton agresseur est en cause.
Cette personne est malade dans sa tête
et a besoin d'être soignée.

**Tu ne dois pas garder ce qui t'est arrivé
pour toi.** C'est trop lourd à porter. Tu ne t'en
sortiras pas seul. Tu vas avoir besoin qu'on t'aide.
La seule manière, c'est d'en parler. Tu dois
t'adresser à une personne de confiance, l'infirmière
scolaire, un professeur, une tante, la mère d'un pote,
etc. Beaucoup d'adultes peuvent te soutenir.

L'AVIS DE L'EXPERT

Ça peut paraître bizarre, mais
tu peux aimer une personne qui
te fait du mal. Tu n'oses peut-être
pas en parler, pour te protéger ou
pour protéger cette personne. Tu dois
pourtant faire part de ta souffrance :
ce que tu vis n'est pas normal.
Malgré tes peurs, il faut que tu oses
en parler à une personne de ton
entourage en qui tu peux avoir
confiance. Elle saura t'écouter,
et ensemble, vous pourrez trouver
une solution.

*Christelle Brailly,
psychologue clinicienne*

**En appelant aux numéros qui suivent,
tu trouveras des gens pour t'écouter.
Ce sont des professionnels qui connaissent
ce genre de situation. Ils te croiront
à coup sûr, ils t'aideront vraiment.
Ton appel restera anonyme et il est gratuit.**

119
Allô enfance maltraitée

0 800 20 22 23
Jeunes violence écoute

0 800 05 12 34
Enfance et Partage

Tu as peur qu'on ne te croie pas ?
C'est rare, mais ça peut arriver.
Dans ce cas, il faut insister.
Tourne-toi vers une autre
personne jusqu'à ce que
quelqu'un t'entende.

Mes parents se disputent tout le temps

Ce n'est pas facile d'entendre tes parents crier. Tu préférerais les voir s'embrasser.
Ne te crois pas responsable de leurs désaccords. Ce sont leurs affaires,
des histoires d'adultes que tu ne dois pas porter sur tes épaules.

Ça te rend malheureux

Tu penses qu'ils ne s'aiment plus ? Cela n'a rien
à voir. Toi aussi tu te disputes avec tes copains ou
ton frère et tu les aimes quand même. Tes parents
traversent peut-être une période difficile à cause
du travail, de l'argent ou d'une autre raison.
Ça ne veut pas dire qu'ils vont se séparer.

Ne t'en mêle pas

Si une dispute éclate en ta présence, ne prends
parti ni pour l'un ni pour l'autre. Tu risques
de les énerver plus. Tu ne connais pas toute
la situation et ton analyse risque d'être fausse.

Chaque fois que
mes parents se
disputaient, je traçais
une croix sur le
calendrier. Un jour,
je le leur ai montré
et ils ont réalisé ce
que je supportais.
Maintenant, ils font
attention quand
je suis là.

Dylan, 13 ans

L'AVIS DE L'EXPERT

Une dispute peut paraître violente
parce qu'elle exprime des difficultés qu'on
ne peut plus garder pour soi. C'est une manière
de s'expliquer, de résoudre ce qui ne va pas.
Mais il est normal que tu aies du mal
à supporter les conflits entre les gens que
tu aimes, surtout s'ils reviennent trop souvent.
Si ce que tu ressens est trop douloureux,
tu peux trouver auprès de toi
des personnes qui t'écouteront : professeur,
infirmière scolaire, psychologue…

Christelle Brailly,
psychologue clinicienne

Parles-en plus tard

Quand le calme
est revenu, discute avec tes parents.
Dis-leur que les disputes t'attristent.
Expose tes craintes qu'ils se séparent.
Ça n'arrangera pas leur problème
mais ils prendront conscience
qu'ils doivent se fâcher moins fort
ou durant ton absence.

175

Tes parents divorcent

Tu es surpris ou bien tu t'y attendais : tes parents se séparent. Tu as l'impression que le monde s'écroule. Que faire ?

Déculpabilise

Même si tu n'es pas seul dans ce cas, la séparation de tes parents est dure à vivre. Tu ne comprends pas comment ils en sont arrivés là et tu penses peut-être que c'est de ta faute. Ôte-toi tout de suite cette idée de la tête. Tes parents sont adultes, ils prennent les décisions qu'ils croient être bonnes. Cela n'a rien à voir avec toi.

Ne tente pas la réconciliation

Tu voudrais bien rapprocher tes parents. Pourtant, tu dois savoir que cette tentative ne marche pour ainsi dire jamais. Pire, tu risques d'être très déçu et d'aggraver ta tristesse. Mieux vaut te préparer à vivre autrement.

Les premiers temps

Des états de rage et de tristesse vont se succéder en toi. Tu subis la décision de tes parents et il se peut que tu leur en veuilles. Là encore, ne culpabilise pas. Autorise-toi la colère, elle permet de se libérer d'un gros poids. Tu sais que tu aimes tes parents, c'est l'essentiel. Pendant cette séparation, tu risques de remettre beaucoup de choses en question et de te « foutre » de tout. « La famille c'est nul, le mariage aussi… » De là à penser que l'école ne sert à rien et même la vie, il n'y a pas loin. Si de tels sentiments naissent en toi, confie-toi à tes copains. Tu as le droit d'en vouloir au monde entier mais pas à toi. Inutile de garder les mauvaises choses dans ton cœur.

Dans un divorce, il y a souvent des disputes et tu te sens peut-être tiraillé. Surtout, ne pense pas devoir choisir entre ton père et ta mère. Continue d'aimer tes parents et aussi tes grands-parents qui te donneront du réconfort dans les moments difficiles. Prendre parti, ce serait un peu comme couper une des racines de ton arbre généalogique.

Ta vie après le divorce

*Selon les décisions de tes parents et du juge, tu vivras chez ton père,
chez ta mère ou chez les deux. Il va falloir songer à t'organiser. Tu t'inquiètes ?
C'est normal, mais tu vas vite trouver tes repères.*

Les bons côtés

Tu te demandes s'il y en a. Interroge tes copains dont les parents ont divorcé. Une chose est sûre, avec le temps, tu ne vivras plus les disputes continuelles des tiens et ça, c'est un soulagement. Et puis, tu développeras des relations privilégiées avec chacun. Séparation ne veut pas dire abandon. Tes parents ne s'aiment plus, mais toi, ils t'adorent toujours.

Et la loyauté ?

Ce n'est pas parce que tu passes un bon moment avec ton père que tu trahis ta mère pour autant et inversement. Au contraire, profite à fond des instants de bonheur passés avec chacun d'eux. Si l'un de tes parents a tendance à te dire du mal de l'autre, ne rentre surtout pas dans son jeu. Fais passer le message en douceur : « Dis papa, si on ne parlait que de nous deux ? » ou bien « Maman, je suis avec toi, pourquoi me parler de papa ? ».

Ton rôle ?

Il est très simple, tu n'en as pas. Hors de question que tu serves d'espion pour l'un ou l'autre de tes parents, que tu sois là pour écouter les grands-parents qui s'en mêlent ou les tantes, les oncles… À partir de maintenant, tu verras tes parents séparément et ça ne change rien à l'amour que tu éprouves pour eux. Ne pense donc qu'à une chose : partager pleinement ton bonheur d'être avec ton papa ou avec ta maman.

Le chéri de maman, l'amoureuse de papa

Papa et maman ne s'aiment plus.
Pourquoi devraient-ils rester seuls le restant de leur vie ?

Ils ont le droit de construire une nouvelle famille. Ça ne veut pas dire qu'ils t'oublient ou qu'ils ne t'aiment plus. Mais tu ne peux pas remplacer ton père à la maison. Il faut bien que ta maman vive sa vie de femme et c'est pareil pour ton papa. Cette personne qui «déboule» dans ton existence ne vient pas te voler ton parent.
Tu vas apprendre à le ou la connaître.

Les choses ne sont pas toujours faciles mais rien ne t'empêche d'en discuter avec ton père ou ta mère, seul à seul et d'exprimer tes craintes. Mais ce nouveau conjoint a sûrement très peur lui aussi de faire ta connaissance, même s'il est adulte.

Tu n'aimes pas trop le chéri de maman, ton nouveau demi-frère ou encore l'amie de papa ? Souvent, les mauvais sentiments que nous ressentons sont liés à la jalousie. Elle te montre ce que tu n'as pas et t'empêche de voir ce que tu as reçu. Ne te pose pas en concurrent, regarde surtout l'amour que te donnent papa, maman ou leurs nouveaux amis et tes sentiments vont changer à coup sûr.

De nouveaux frères et sœurs

La nouvelle copine de papa a des enfants ? Maman va avoir un bébé ? Voilà de quoi avoir peur. Mais peur de quoi ? De ne plus être le petit garçon chéri à son papa et à sa maman ? Tes craintes sont-elles justifiées ?
Il est rare que les parents oublient leur garçon parce qu'ils refont leur vie. Il se peut aussi qu'ils passent du temps avec les enfants de leur nouveau partenaire pour apprendre à les connaître.
Si c'est un bébé, tu peux comprendre qu'il réclame de l'attention. Mais si tu penses passer à la trappe, dis-le. Ne laisse pas ton ressentiment prendre trop de place, ni ta colère s'installer, il s'agit peut-être d'un malentendu. Crève l'abcès tout de suite et dis ce que tu as sur le cœur.

Divorce : 6 trucs pour passer le cap

1. **Pour t'y retrouver,** sur deux calendriers, colorie de deux couleurs différentes les moments où tu vis chez ton père et ceux où tu vis chez ta mère. Affiche-les dans chaque maison.

2. **Le parent absent te manque ?** Rends-le présent : remplis un album avec des photos de vous deux, fabrique un sous-main pour ton bureau avec des souvenirs de moments passés ensemble. Reste en relation avec chacun d'eux : téléphone, fax, mail, courrier… Installe et décore tes deux chambres comme si tu y étais à temps plein.

3. **Si c'est possible, garde le contact avec tous tes grands-parents,** même si tu vois peu l'un ou l'autre de tes parents. Quand tout change autour de toi, leur affection et leur stabilité sont des repères rassurants.

4. **Tu te sens vraiment déprimé ?** Ne garde pas tout pour toi. Demande à tes parents à rencontrer un psychologue ou un médiateur familial qui t'aidera à passer le cap difficile. Renseigne-toi à l'APMF (Association pour la médiation familiale) : 01 43 40 29 32. On pourra t'orienter vers des groupes de parole pour enfants.

5. **Deux maisons, deux façons de vivre** Pour savoir quelles règles respecter dans chaque endroit, tu peux créer un journal de bord : « Chez Maman, je débarrasse la table, chez Papa, j'ai droit à un quart d'heure de télé avant mes devoirs… »

6. **Évite le chantage** du type « Chez Papa, je peux regarder la télé jusqu'à 22 heures ». Cela ne ferait qu'attiser les conflits entre tes parents.

Les parents divorcent de plus en plus en France. En 1914, on comptait 20 000 couples divorcés, le double en 1970 et… 131 335 en 2004 (source INSEE). En 2005, le nombre de divorces atteint un maximum de 152 020. On estime que 120 000 enfants sont concernés chaque année par le divorce.

Le divorce vu par les copains

Ce n'est pas une consolation, mais si tu es enfant de parents divorcés, c'est peut-être rassurant de savoir que tu n'es pas seul. Qu'en disent les copains ?

Quand mon père est parti de la maison, j'ai vraiment eu peur de ne plus le revoir. Mais, avec le temps, j'ai compris qu'il quittait ma mère, pas moi.
Antoine, 10 ans

Au début, j'ai vraiment souffert de ne plus les voir ensemble. Finalement, mon père et moi, on est devenus plus proches parce que nos relations étaient différentes. C'est la même chose avec ma mère.
Farid, 13 ans

Pendant le divorce, mes parents n'arrêtaient pas de se disputer. J'avais l'impression que c'était de ma faute. Beaucoup plus tard, j'ai pigé que je n'étais pour rien dans leurs histoires.
Jérôme, 14 ans

Des parents séparés, c'est mieux que des parents qui se prennent la tête tout le temps, je peux te le dire.
Franck, 13 ans

Le copain de ma mère a un garçon plus jeune que moi. Au début, je le trouvais superlourd. En fait, il est vraiment sympa mais je n'étais pas cool avec lui.
Victor, 12 ans

Mon beau-père est vraiment cool avec moi. Il est superpatient et il m'explique même mes devoirs. Je crois que mon père est un peu jaloux.
Didier, 12 ans et demi

Mon père habite loin de chez moi. Heureusement, il y a Internet. Tous les soirs, on se prend un quart d'heure pour se voir sur la webcam. J'ai l'impression qu'il me consacre plus de temps qu'avant.
Hugues, 11 ans

Entre frères et sœurs

Quand on en a, ils nous énervent.
Et quand on n'en a pas, on en rêve

Les disputes sont une des caractéristiques des relations entre frères et sœurs. Au menu des réjouissances : jalousie, envie, sentiment d'injustice… On choisit ses amis, pas sa famille.

Ça fait des étincelles

Entre frères et sœurs, s'aimer n'est pas obligatoire ! On a la même famille, mais on est un individu unique. Avec son caractère, ses goûts, ses opinions… Alors forcément, il arrive qu'il y ait des étincelles… Chacun lutte pour être le « préféré » des parents, essaie d'être le plus fort, se bat pour se faire entendre. C'est la compétition !

On grandit plus vite

On apprend à partager, à être tolérant. Grâce à ses frères et sœurs, on s'adapte plus facilement à la vie en société, car les règles de conduite avec les autres, on connaît déjà ! Et puis aussi, à leur contact, on progresse. On cherche à acquérir leurs qualités… pour les dépasser !

Certains frères et sœurs sont devenus célèbres en même temps et je suis sûr que tu en connais quelques-uns : les sœurs Williams, championnes de tennis, les frères Bogdanov qui présentent l'émission *Rayons X*, Les Simpson, les sœurs Olsen ou encore Michael et Lincoln dans la série *Prison Break*… Décidément, la fratrie fait parler d'elle.

On est plus fort

Entre frères et sœurs, on se construit plein de bons souvenirs, on se sent plus fort pour braver les parents ! Et, en cas de coup dur, on se serre les coudes. C'est vraiment la guerre entre vous ? Rassure-toi, votre relation n'est pas fixée une fois pour toutes. Elle change… avec vous ! Bientôt, vous serez peut-être très complices…

Ma petite sœur, c'est une vraie peste. Mais en même temps, je l'adore. Faudrait pas qu'un mec l'embête à l'école, parce que je lui réglerais son compte.

Julien, 13 ans

Tu es le plus grand, c'est toi qui prends

Difficile d'être le premier enfant de la famille.
Comment mieux vivre cette situation.

Devenir parent, c'est un vrai métier qui s'apprend sur le terrain. Les tiens l'exercent tous les jours et, grâce à toi, leur premier enfant, ils découvrent en même temps qu'ils s'initient. Puis arrive un petit frère ou une petite sœur et la situation change complètement.

Des différences

Tu crois vivre des inégalités ? Ton petit frère a plus de liberté ? On le dispute moins ? On lui fait plus confiance qu'à toi ? En fait, tes parents se sont en quelque sorte exercés sur toi. Ils avaient peur qu'il t'arrive quelque chose et ils t'ont peut-être un peu trop protégé. Avec ton petit frère, c'est différent, ils ont de l'expérience. Ils savent que certaines activités sont finalement moins dangereuses qu'ils ne le croyaient. Ils se montrent alors plus souples avec lui. Tu le vis comme une injustice. Si tes parents le pouvaient, ils reviendraient en arrière, mais c'est impossible. Une chose est sûre, ils ne t'aiment pas moins que ton frère et ils s'en veulent peut-être d'avoir été un peu trop stricts avec toi.

Et les disputes alors ?

Es-tu certain qu'on te gronde plus que ton frère ou ta sœur ? N'es-tu pas jaloux ? Peut-être es-tu plus sensible aux réflexions de tes parents parce que tu voudrais qu'ils soient plus proches de toi.

Si l'injustice existe vraiment, il faut agir. Les remontrances que te font tes parents sont souvent justifiées mais parfois abusives si elles sont gratuites. Essaie de comprendre pourquoi ils te grondent. Ton frère et toi, vous vous chamaillez souvent et c'est toi qui prends ? Ne cherche pas plus loin. Tes parents considèrent que tu es assez grand et que tu dois pouvoir faire cesser les bagarres. Ta petite sœur se blesse et on te dispute ? Ils pensent que tu aurais dû la surveiller.

**Il est temps de changer les choses.
Voici comment :**

Ne laisse pas la pression monter en toi.
Si ta sœur ou ton frère t'ennuie quand
tu fais tes devoirs ou que tu t'amuses seul,
explique-lui gentiment que tu veux être
tranquille. S'il insiste, demande à tes
parents d'intervenir. Dis-leur que tu as
essayé d'expliquer mais que maintenant
ils doivent prendre le relais.

**N'oublie pas que ton petit frère aime
peut-être bien te taquiner** juste pour que
tu t'énerves et que tu te fasses gronder.
Ne lui donne pas satisfaction.
Calmement, dis-lui qu'il n'arrivera pas
à ses fins, que tu as vu clair dans son jeu.
Il arrêtera aussitôt si son manège
est découvert.

> Je partage mon temps avec ma petite
> sœur. Si j'ai 2 heures devant moi,
> je lui en consacre une. En échange,
> après, elle doit me laisser tranquille.
> C'est un contrat juste et, si elle triche,
> ma mère intervient sans que je crie.
>
> **Philippe, 12 ans et demi**

> J'aime bien faire des petits cadeaux
> à mes frères. J'en ai deux. Mais quand
> ils m'embêtent trop, je leur dis
> qu'ils ne m'encouragent pas à leur
> faire des surprises. Ce n'est pas du
> chantage, c'est juste une explication
> et je crois qu'ils comprennent.
>
> **Gauthier, 13 ans**

Assume ton rôle de grand frère avant qu'on
te le demande. En revanche, chaque fois
que la situation dérape, passe le relais.
En démontrant que tu sais prendre des
responsabilités, tu pourras ensuite exposer
tes limites à tes parents. Rien ne
t'empêche de leur expliquer gentiment
qu'être grand frère ce n'est pas être papa ;
que ton autorité n'est pas la même
et surtout qu'elle ne doit pas être la
même que celle de ton père. Tes parents
n'ont pas à se reposer entièrement sur toi.
Tu restes tout de même un enfant.

Pour autant, ne refuse pas les charges que
tes parents te confient systématiquement,
cela te servira plus tard… Si tu es assez
grand pour garder ta petite sœur, tu l'es
peut-être aussi pour aller te promener
avec tes copains, non ?

Grand ou petit, tu peux leur dire merci

Tu ne supportes plus ton frère ou ta sœur ?
Lis ce manuel antidéprime. Il t'aidera à prendre du recul
et tes difficultés te sembleront moins pénibles.

Grâce au grand...

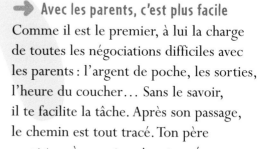

➡ Tu disposes d'une mine d'informations
La 6ᵉ, c'est derrière lui. Les angoisses de la première colo aussi. Profite de son savoir, surtout s'il adore le partager. Cela le rend important.
Mets aussi à profit ses connaissances en matière d'amour, d'amitié et de puberté. En plus, si tu as une grande sœur, elle n'a pas la même façon de voir les choses, elle pourra t'aider à mieux comprendre les filles…

➡ Tu as un garde du corps
Qui prend ta défense aussitôt qu'on t'attaque dans la cour de récré ? Qui t'épaule toujours face aux parents ? Le grand ! C'est plus fort que lui : il ne peut pas s'empêcher de veiller sur toi, son cher petit frère.

➡ Avec les parents, c'est plus facile
Comme il est le premier, à lui la charge de toutes les négociations difficiles avec les parents : l'argent de poche, les sorties, l'heure du coucher… Sans le savoir, il te facilite la tâche. Après son passage, le chemin est tout tracé. Ton père et ta mère sont moins stressés.

Grâce au petit...

➜ Tu as quelqu'un avec qui jouer

Les petits sont toujours ravis de trouver un compagnon de jeux, surtout s'il est plus âgé qu'eux. Cela leur donne l'impression d'être grands à leur tour ! Avec des petits, difficile de s'ennuyer !

➜ Tu deviens une personne importante

Par rapport aux plus jeunes, tu disposes d'un atout majeur : tu en sais plus qu'eux. Tu constateras souvent qu'ils cherchent à t'égaler. Tu es leur modèle. Ils boivent tes paroles, réclament des conseils. Être ainsi valorisé, admiré, ça regonfle le moral !

➜ Tu n'es plus le centre du monde pour tes parents

Et ça, c'est un avantage à ne pas négliger. Tu n'es plus le seul à devoir répondre à leurs attentes. Et pendant qu'ils s'occupent du petit, ils ne sont pas derrière toi. Ouf ! Ça fait des vacances.

➜ Tu grandis plus vite

Comme le petit accapare l'attention de tes parents, toi, il faut souvent que tu te débrouilles tout seul. Et puis, il t'arrive parfois de devoir surveiller le bout de chou, ça te fait râler. Mais, mine de rien, grâce à cette « corvée », tu apprends à être responsable. Autant d'atouts qui te serviront dans ta vie d'adulte.

Hugo, mon petit frère, est toujours accroché à mes basques, j'ai l'impression d'être son héros ! Parfois, ça m'énerve un peu, mais il est tellement mignon que souvent, je ne peux pas lui refuser quand il me demande de jouer avec lui.

Léonard, 13 ans

Je rêve d'un frère ou d'une sœur

Tu dois t'ennuyer de temps en temps et tu voudrais bien partager tes secrets...
Mais as-tu pesé le pour et le contre ? En ce moment, le petit homme de la maison
c'est toi. Tout tourne autour de toi. Es-tu vraiment prêt à partager la vedette ?

Un deuxième enfant peut représenter beaucoup de changement pour tes parents. Faut-il déménager ? Gagner plus d'argent ? Un bébé implique aussi une perte de liberté. Maintenant que tu es grand, tes parents sont plus disponibles. Ils peuvent sortir plus facilement. Ils n'ont peut-être pas envie d'élever un nouveau bébé.

Pas la peine de t'entêter si tes parents ne veulent rien entendre. Après tout, la décision ne regarde qu'eux. Mais si jouer les grands frères te manque, pourquoi n'essaies-tu pas le baby-sitting ? Tu pourrais garder un enfant plus jeune, lui apprendre des trucs à toi et en plus gagner un peu d'argent.

> Tu sais, moi, j'ai un frère, mais je ne m'entends pas très bien avec lui. On est vraiment différents. En revanche, mon meilleur ami est comme un frère pour moi.
>
> **Bruno, 11 ans**

AUJOURD'HUI, TU ES SEUL FACE À TES PARENTS

Tous leurs espoirs, leurs attentes reposent sur toi. Parfois c'est un peu lourd à porter. Tu te dis qu'avec quelqu'un d'autre, ce serait moins dur... Cette envie, c'est aussi une manière d'interroger ton père et ta mère : « Est-ce que je vous comble ? » Au fond de toi, tu espères secrètement qu'ils vont te dire qu'ils n'ont pas besoin d'autre enfant, puisqu'ils t'ont toi. Tu veux simplement être sûr qu'ils t'aiment toujours.

Sylvie Companyo, psychologue

Si c'est simplement une compagnie qui te manque, vois tes amis plus souvent. Invite-les à dormir à la maison si tes parents sont d'accord. Si tu demandais un animal familier ? Tu pourrais lui confier tes secrets et tes malheurs.

Es-tu prêt à avoir un petit frère ou une petite sœur ?

À fond, faut voir, certainement pas ?

1. À propos de chambre...
Ⓐ Tu voudrais partager la tienne.
Ⓑ Tu choisis un chouette papier peint pour sa chambre.
Ⓒ Il dormirait très bien chez mamie.

2. Tes jouets favoris, tu préfères...
Ⓒ Les brûler plutôt qu'il les emprunte.
Ⓐ Les lui prêter.
Ⓑ Les cacher en attendant qu'il grandisse.

3. Une petite sœur c'est :
Ⓑ Un peu moins bien qu'un petit frère mais cool quand même.
Ⓒ Le début des ennuis.
Ⓐ Un rayon de soleil dans la famille.

4. Tes parents ne veulent pas d'autre enfant...
Ⓑ Tu tentes de les convaincre, à tout hasard.
Ⓐ Tu demandes si tu peux changer de parents.
Ⓒ Tu sors les cotillons et que la fête commence.

5. Des frères et sœurs, tu en voudrais...
Ⓒ Même pas en rêve.
Ⓑ 1 pour essayer.
Ⓐ Autant que de Playmobil.

As-tu une majorité de Ⓐ, de Ⓑ ou de Ⓒ ?

+ de Ⓐ : à fond
Tes parents n'ont plus qu'à se mettre au travail car tu es franchement prêt. Tu voudrais partager tous les bonheurs de la vie. Bien sûr il y aura aussi des disputes. Mais un petit frère ou une sœur complice, c'est tellement chouette.

+ de Ⓑ : faut voir
Un frère c'est peut-être cool, mais la vie de fils unique, tu aimes aussi. Ce petit dernier ne va-t-il pas déranger tes habitudes ? Si, forcément. Mais tu découvriras vite les bons côtés d'une vie partagée.

+ de Ⓒ : certainement pas
Tes parents sont à toi et tu n'es pas prêteur. Mais ce sont eux qui prendront la décision finale. Alors s'ils t'annoncent l'heureuse nouvelle, ne te braque pas trop. Même si ça va changer beaucoup de choses dans ta vie, tu y trouveras aussi des côtés positifs.

Ta chambre, c'est ton univers

*Si tu partages ta chambre avec un frère, aménage-toi
un coin perso et établis un code de conduite.*

Un endroit à toi

Ton frère a aussi ses secrets et vous devez
trouver un terrain d'entente. Chaque coin
de la pièce étant défini et partagé,
interdiction de fouiller dans les affaires
de l'autre. Laisse des jouets à disposition
et interdis tout accès à ce qui se trouve
dans un tiroir ou une boîte. Il est normal
et important d'avoir un jardin secret à soi.
Tes parents doivent aussi respecter ce lieu
privé. C'est à toi de leur expliquer les
règles liées à ta chambre.

**NE PAS
DÉRANGER**

Mon coffre-fort,
c'est le tiroir de mon lit.
Il a même une clé et,
comme il est grand,
j'y range un max de choses
secrètes. Comme ça,
personne ne vient fouiller.
Parce que ma petite
sœur… c'est une vraie
fouine.

Rachid, 12 ans

Ne pas déranger

Ta chambre est aussi ton domaine et
tu pourras t'y réfugier en cas de besoin,
y retrouver tout ce qui te rassure dans
les périodes de mal-être ou de doute : ta
musique, tes dessins, tes lettres d'amis…
Accroche sur ta porte un écriteau pour
signaler ton humeur. Ta famille devra
respecter tes moments de solitude
et ne pas entrer si le panneau l'interdit.

Un lieu de travail

Puisque tu te sens bien dans cet endroit
à toi, tu vas peut-être pouvoir y étudier.
Cela implique que tu aies un bureau et
qu'il soit rangé. Si ta chambre est trop
petite pour y prévoir un espace de travail,
tu risques de devoir t'installer sur la table
du salon pour étaler tes affaires et écrire.
Alors, privilégie ta chambre pour les
leçons qui demandent de la concentration
et pour lire. Être au calme et dans un lieu
agréable t'aidera à mieux bosser.

Idées déco pour chambre de mec

*Pour te sentir à l'aise dans ton univers rien qu'à toi,
voici quelques trucs sympas pour l'aménager
de façon originale.*

Les murs

Tu as peut-être rencontré un problème :
les punaises ! Elles font des trous dans
les murs et les parents ne les voient pas
toujours d'un bon œil. Le ruban
adhésif, n'en parlons pas, il arrache le
papier peint. Utilise de la pâte collante
vendue en tablettes. Tu peux coller
tout n'importe où. Et en plus, c'est
réutilisable. Attention, elle peut laisser
des traces de gras sur certains supports.

Décore malin

Un calendrier est toujours utile.
File sur Internet et tape « calendrier »
sur un moteur de recherche. Des sites
te proposent d'en imprimer des pages.
Il ne te reste plus qu'à les personnaliser
avec des images de tes héros préférés.
C'est aussi chouette qu'un poster et bien
plus utile.

Tu cherches des photos de tes stars ?

Sur www.google.fr, tu peux cliquer sur
« image » et télécharger des images. C'est
un gain de temps incroyable. Et toc, voilà
plein de posters gratuits.

Les PLV (publicités sur le lieu de vente)
décorent les rayons des magasins.
Si tu t'y prends assez tôt et si tu demandes
gentiment, le directeur du supermarché
t'offrira certainement un de ces cartons
pour décorer ta chambre. Tente la même
démarche dans le cinéma ou le vidéoclub
de ton quartier pour obtenir une affiche
de film.

**Tu ne joues plus avec certains de tes
soldats ?** Transforme-les, repeins-les,
et réalise une petite scène de vie appelée
« diorama ». Tape ce mot sur un moteur
de recherche, tu verras apparaître
plusieurs créations d'internautes qui
te donneront des tas d'idées sympas.

Tes passions,
tes passe-temps

Dans ta vie, il y a l'école, la famille, les copains, les copines,
mais il y a aussi ce qui te ressemble le plus : tes passions.
Tu consacres ton temps libre à tes envies, à tes loisirs ou à tes rêves.
Dans ces pages, ton serviteur robotisé t'expose toutes les ficelles
pour pratiquer tes hobbies seul, avec des potes, en colo ou en club.
Il se pourrait même que tu te découvres d'autres activités exaltantes…

Prêt ?

Allons-y !

Du temps pour rêver

Tu as toute liberté pour remplir ton temps libre.

Tes parents aiment bien te voir t'occuper à des activités, mais tu as le droit de ne rien faire. S'ils ronchonnent à te voir allongé, dis-leur que dans cet espace-temps, le commandant du vaisseau, c'est toi ! Si tu as fini ton travail ou si tu as besoin d'une pause, fais comme ton écran d'ordi :

mets-toi en veille !

C'est carrément bon de zoner dans sa chambre. Ça donne une sensation de liberté, tu ne peux pas savoir. C'est planant.

Édouard, 14 ans

❂ C'est bon de s'évader

Un moment de calme de temps à autre permet d'échapper à la tension de l'école ou de la famille. Prends le temps de rêver tout éveillé. Allonge-toi sur ton lit ou dans l'herbe si tu en as la possibilité et imagine plein de trucs sympas : les métiers dingues que tu voudrais faire, premier homme sur Mars, inventeur génial, commandant de vaisseau spatial… Rêver, c'est bon : ça permet d'oublier les petits chagrins, les petits soucis. Et puis dans les rêves, tout est possible.

❂ En avant la musique

Isole-toi pour écouter un peu de musique, mais n'utilise pas le baladeur tout le temps : tes tympans sont fragiles et son emploi t'enferme dans un monde qui t'éloigne trop de la réalité.

Ça peut te sembler curieux mais c'est comme les jeux virtuels, ça te coupe du réel et quand tu débranches, tu as envie de retourner dans ton monde.

Le *farniente* vient de l'italien mais s'emploie aussi en français pour désigner les moments de paresse. On parle aussi d'oisiveté même si le mot n'est pas très usité. Le *farniente* c'est bon pour le moral de temps en temps, ça permet d'échapper au stress.

Libère du temps pour ta passion

Ton truc à toi c'est le foot, le saxo ou le théâtre. Tu voudrais pratiquer jour et nuit mais la vie ne se résume pas à ta passion. Il y a l'école, les copains et la famille. Comment faire pour satisfaire tout le monde ?

Organise-toi. Pas question de grignoter sur le temps consacré aux devoirs. Il faudra les faire de toute manière et, en plus, tu vas te mettre tes parents à dos. Les leçons et les devoirs passent donc en premier.

Ensuite, regroupe certaines activités et les devoirs. Cette semaine tu veux voir Margot, tes copains, le dernier Jackie Chan mais tu as judo et cette satanée rédac. Pourquoi ne pas inviter Margot au cinéma et tes copains à l'entraînement ? Tu peux aussi faire ton devoir de français avec l'aide de Margot ou de tes copains.

> ✗ Je suis dingue de guitare électrique et j'en joue tout le temps, même devant la télé. Mais je ne la branche pas, pour ne pas faire trop de bruit.
>
> **Nolan, 12 ans**

Organise ton emploi du temps et négocie auprès de tes parents. Tu voudrais répéter une pièce de théâtre dimanche matin au lieu d'aider ta mère à faire le ménage ? Propose de travailler une heure le soir dans la semaine pour libérer des heures le week-end. Montre ta bonne volonté, prouve que ta passion est importante pour toi mais qu'elle n'envahit pas la maison. Tes parents seront très certainement conciliants.

> Moi, ma passion, c'est le karaté. J'ai de la chance parce que mon frère, il en a fait pas mal, alors il m'entraîne dans sa chambre.
>
> **Virgile, 12 ans et demi**

Enfin, tu peux écourter les instants télé. Reconnais que quelquefois tu te poses devant l'écran même s'il n'y a rien de passionnant. Repère bien tous ces moments-là et évite-les. Même en 10 minutes, tu as le temps de t'avancer dans tes devoirs. Ce sera du temps de gagné pour te consacrer à ta passion.

Es-tu passionné ?

Tu vis ton activité à fond les ballons,

sans te fouler ou à reculons ?

1. Ta mère t'inscrit au cours de violon du jeudi...

Ⓐ Tu demandes à y aller aussi le mardi et le samedi.

Ⓑ Tant mieux, tu peux continuer le foot en parallèle.

Ⓒ Tu casses ton violon le mercredi.

2. L'anniversaire de ton pote tombe le jour du solfège...

Ⓑ Tu essayes de t'arranger pour assister aux deux.

Ⓒ Génial ! Ta mère ne pourra pas dire non.

Ⓐ Tant pis pour lui, la musique c'est ta vie.

3. Ta correspondante anglaise n'aime pas le foot mais tu voudrais lui plaire...

Ⓒ Tes pompes à crampons, c'est juste pour la déco.

Ⓑ Si elle préfère le rugby, ça doit pouvoir s'arranger.

Ⓐ Tu lui demandes comment on dit adieu en anglais.

4. Aragog l'araignée rentre dans ta chambre. En te sauvant tu emportes :

Ⓒ Ta console et tu demandes au monstre d'écraser le piano.

Ⓐ Ton piano, ton tabouret, tes partitions.

Ⓑ Une partition, pour faire plaisir à ta mère.

5. Pour t'acheter ta guitare, tu es prêt :

Ⓑ À acheter moins de bonbecs pour économiser.

Ⓒ À rien. C'est mon père qui veut, il n'a qu'à l'acheter.

Ⓐ À tout, et faites gaffe, je suis armé.

As-tu une majorité de Ⓐ, de Ⓑ ou de C ?

+ de Ⓐ : à fond les ballons

Rien ne passe avant ta passion. Tu es prêt à tous les sacrifices pour devenir un « guitar-heroe » ou un futur Zidane. Avec une telle détermination, c'est sûr, tu vas y arriver.

+ de Ⓑ : sans te fouler

Tu pratiques des activités pour le plaisir, pas forcément pour devenir champion. Le sport c'est la santé, pas la compétition. Pourquoi se stresser quand on peut se détendre ?

+ de Ⓒ : à reculons

Le piano, c'est maman qui voulait, le judo, c'est papa. Tu veux bien leur faire plaisir, mais de là à manquer un anniversaire ou une sortie, non ! Les activités ne t'éclatent pas plus que ça, tu pourrais même t'en passer.

C'est quoi un artiste?

Pour s'exprimer, il existe plein de moyens. Le plus simple, c'est la parole. Certaines personnes, comme les artistes, font appel au dessin, à la musique, à la photo, etc. Leurs créations traduisent leurs émotions, leurs idées, leurs sentiments.

Pas besoin de gagner de l'argent avec ses œuvres pour être un artiste. On peut vivre d'une profession et pratiquer son art en loisir. Certains arrivent à vivre de leurs productions, mais c'est plus dur. Tu es peut-être un artiste si tu te reconnais dans les lignes qui suivent.

Les qualités

Les « créateurs » sont très observateurs. Pour inventer, il faut absorber ce qu'on voit pour le restituer à sa façon. Un musicien va créer un style de musique en s'inspirant d'un rythme tribal et en l'incorporant à un air moderne. Il apporte sa touche personnelle. L'artiste regarde autour de lui, il écoute, puis il tente des mélanges de couleurs, de formes, de styles.

Être artiste implique du travail, du courage et de la patience. Ta création ne sera pas toujours facile à exécuter. Il faut s'entraîner. Faire des gammes en musique, ou des croquis en dessin, par exemple. L'artiste sait prendre sur lui, surtout quand il renverse un pot d'encre sur son dessin terminé… Il apprend en permanence.

S'il est musicien, il continue d'écouter les morceaux contemporains ou anciens. S'il est écrivain, il est aussi lecteur.

À toi de créer

As-tu la fibre artistique ? Entoure-toi de papier et de peinture et lance-toi : évoque la joie ou la tristesse sans écrire un mot. Quelle couleur selon toi traduit le mieux le bonheur ? Quelle forme exprime le mieux la vivacité ? Ce qui compte, ce n'est pas de dessiner un chien qui ressemble à un chien, mais de représenter le plus clairement ton idée. Le reste est de la technique. Elle viendra avec des cours ou en recopiant des dessins.

J' aimerais bien savoir dessiner

Le plus simple c'est de prendre des cours. Mais ce n'est pas toujours facile selon la ville où tu habites, tes horaires ou ton budget. En plus, les profs vont te demander d'acheter du matériel. Pas de panique, tu peux te mettre à dessiner seul et sans trop dépenser.

Si tu veux faire des économies, tu dois laisser exploser ton imagination. Achète un minimum de matos. Si tu as des pinceaux, tant mieux ; sinon, récupère ce qui peut appliquer de la peinture : vieux lacets, éponges, tissus… Tu peux aussi te servir d'une pomme de terre coupée en deux, y graver un motif et la tremper dans la peinture. Toutes les pistes sont bonnes à exploiter. Fabrique tes outils, tes résultats seront personnels.

Pour la peinture, même chose. Tu peux utiliser presque tout : café, thé, vin rouge, etc. Certaines épices peuvent t'apporter de la couleur, comme le paprika. Toutes ces couleurs sont moins opaques que la gouache mais tu peux mélanger le café avec du sable et de la colle pour obtenir de la texture et peindre en relief.

Le papier est en général cher. Tu peux récupérer des cartons au supermarché. Découpe le fond, peins-le en blanc ou non : voilà une toile vierge. Tu peux utiliser toutes sortes de papiers, même des journaux. Encore un truc : mouille tes feuilles, applique-les sur des plaques d'égout ou des murs. Laisse sécher : tu récupères ainsi du papier texturé à peindre pour tes décors.

Le dessin lui-même. Ici tu as le droit de copier. C'est comme ça que tu apprendras. Décalque, découpe, incorpore plusieurs dessins recopiés dans le tien. Étudie les techniques et tente de faire pareil. Quand tu as obtenu le tracé qui te convient, recopie-le par transparence sur une vitre. Répète l'opération sur plusieurs feuilles. Tu dois avoir plusieurs tracés identiques. Quand tu passeras à la couleur, ne t'inquiète pas si tu te trompes, tu as d'autres tracés.

Les techniques des professionnels

◉ **Les pros se servent d'une table lumineuse** qui éclaire leur brouillon par en dessous. Ils n'ont plus qu'à décalquer directement sur le papier final. Pas de calque ! Ils emploient un papier spécial dit « barrière ». Ce papier ne boit pas le feutre. Ils ont donc le temps de colorer leur personnage avant que le feutre sèche. Terminé les marques de feutre ! S'ils se trompent, ils ne recommencent pas à zéro.

Certains découpent la partie manquée et collent une autre feuille derrière le dessin. Puis ils refont le motif. Quand le livre est imprimé, on y voit que du feu. Il n'y a pas de limites dans la création : mélange tout ce que tu peux. Colle du papier de couleur, incorpore des photos ou des matériaux (coton, gaze, sable…). Les pros passent beaucoup de temps à trouver leur propre technique.

◉ **Et à l'ordi ?**

Certains dessinent avec des logiciels de dessin, dit vectoriels. Contrairement aux logiciels de dessin de type Paintbrush proches de ce que tu fais sur papier, une courbe tracée peut être déformée à l'infini. Chaque ligne a des petites poignées sur lesquelles on tire pour ajuster le trait.

◉ **En B.D., de nombreux coloristes font appel à Photoshop** pour teinter les planches de dessins. Tu peux faire la même chose avec n'importe quel logiciel de retouche photo. Ils sont donnés avec les appareils photo numériques. Le principe : dessiner au feutre noir sur un papier, scanner le dessin et ne garder que le noir. Ensuite, tu pioches dans les couleurs du logiciel comme pour corriger une photo. Les pros n'ont pas de souris mais une tablette graphique et un stylet pour mieux sentir le dessin. Il existe des tablettes à un prix accessible pour ton PC, environ 45 euros.

Comment apprendre la musique?

Rien de plus simple, tout est écrit ici.

Ton professeur de musique sera heureux de t'aiguiller. Il te donnera des adresses de conservatoires ou d'écoles de musique. Certains profs organisent des spectacles musicaux pour la fin d'année. Ils donnent alors des cours le midi ou le soir.

Pourtant, certains instruments, comme la guitare, l'harmonica ou la batterie, peuvent se démarrer avec l'aide d'un copain qui pratique déjà. Tu peux par exemple découvrir la guitare par des morceaux simples. Les notations des partitions existent sous une forme simplifiée que l'on appelle tablatures.

Pour comprendre comment fonctionne une tablature, jouer des morceaux et surtout télécharger gratuitement et légalement des partitions, rends-toi sur le site www.abc-tabs.com. Tu y trouveras également les paroles de tes chansons préférées. Le système de tablatures et d'accords (plusieurs notes jouées en même temps) permet de pratiquer la musique sans rien connaître du solfège.

> Moi, j'ai commencé le piano au conservatoire, mais, au bout de 2 ans, j'en ai eu marre du solfège. Maintenant, j'apprends avec un prof particulier. On ne fait presque pas de solfège, et c'est quand même plus cool.
>
> **Erwan, 12 ans**

> J'ai appris le djembé dans la rue avec un voisin supersympa. Maintenant que je comprends bien le rythme, je vais peut-être faire de la batterie ou de la gratte.
>
> **Amaury, 13 ans**

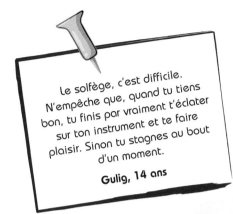

Le solfège, c'est difficile. N'empêche que, quand tu tiens bon, tu finis par vraiment t'éclater sur ton instrument et te faire plaisir. Sinon tu stagnes au bout d'un moment.

Gulig, 14 ans

Évidemment, cette façon d'apprendre a ses limites car le solfège et l'harmonie finiront par te manquer. Il sera temps alors de t'y intéresser. D'ici là, tu peux quand même te promener sur le site www.happynote.com pour découvrir les bases du solfège en t'amusant et en téléchargeant des jeux.

Pour bien comprendre et acquérir le rythme, la méthode la moins rébarbative est de jouer dans un groupe. Tu sais ce qu'il te reste à faire : monte ton groupe de rap. Jouer avec des copains t'obligera à suivre le rythme, respecter le tempo, commencer et démarrer le morceau avec les autres. Les notions de régularité sont plus difficiles à acquérir quand on joue tout seul dans sa chambre.

En attendant, écoute un maximum de morceaux dans le genre de ceux que tu souhaites jouer. Pop, rock'n'roll, rap, punk, etc. Comme pour le dessin, n'hésite pas à copier. Tu feras vite des progrès.

Des activités de mecs

Tu t'ennuies ?
Découvre vite comment occuper
ton temps !

Quand je m'ennuie, je fais de la récup.
Je vais me balader en ville ou au parc.
Je rapporte toujours quelque chose
qui servira à mes bricolages.
Ensuite, je construis des machines
de guerre avec des plaques de métal
ou des boulons trouvés.

François, 13 ans

Le temps c'est de l'argent

Prends le temps de faire le tri dans tes affaires. Ressors tes vieux jouets. Garde ceux qui peuvent servir à des bricolages. Emporte les autres avec toi et inscris-toi au vide-greniers de ton quartier.
Tu pourras récupérer un peu d'argent à investir dans tes activités.

Deviens le maître du donjon

Le principe : tu inventes une histoire et des personnages. Chacun de tes amis en choisit un et prend des décisions au fur et à mesure que tu racontes le scénario. Dans les faits : si tu possèdes des soldats en plastique, place-les dans des situations fantastiques. Attribue-leur des points de vie. Ils ont chacun des armes (fusils, cordes, etc.). À toi de raconter l'histoire et d'inventer des pièges que devront déjouer tes copains. Pour t'aider à démarrer ta carrière de maître du donjon, il existe des scénarios préétablis. Demande dans des magasins de jouets ceux de *Donjons et Dragons*.

Le partage des connaissances

C'est la meilleure façon d'occuper son temps. Dans ta bande, chacun de vous a des talents cachés. N'hésitez pas à vous réunir pour organiser des ateliers. Aujourd'hui, atelier mécanique animé par Pat, le dingue de scooter. La semaine prochaine, peinture de figurines par Hervé et, plus tard, Momo donnera un cours de foot, dribble et tir au but.

Quelquefois, je n'ai pas le droit de sortir voir un copain. Alors on organise des batailles en réseau sur *Far Cry ou Crysis*. Ça bastonne à fond. Moi je trouve ça cool comme activité.

Lionel, 12 ans et demi

Décathlon

Tu préfères quand ça bouge ? Réunis tes amis. Thème de la soirée : organiser un décathlon. Si vous êtes 5, chacun doit mettre au point 2 épreuves qu'il dévoilera le jour de la compétition. Tu peux utiliser les vélos, les rollers, le parcours santé du parc municipal, etc. La rencontre est ouverte à tes copains et copines. Les épreuves doivent être réalisables (slaloms, sauts d'obstacles, lancers de ballon) et non dangereuses. Le mieux est de les essayer avant de les présenter.

Avec mes potes, on se retrouve souvent sur la place du village avec nos rollers. On installe des parcours avec des obstacles et c'est à celui qui fera le meilleur score.

Samuel, 13 ans

Tes passions en colo

*Les vacances en colo permettent de découvrir
des tas de choses que tu ne connais pas.*

Tu peux partir n'importe où, à la montagne ou à la mer et rencontrer des nouveaux copains. Tu peux aussi pratiquer tes activités préférées ou celles que tu ne connais pas encore.

> J'avais peur d'aller en colo la première fois, je ne voulais pas partir loin de mes parents. Le premier jour, j'ai pleuré en les quittant. Le dernier jour, j'ai pleuré en quittant mes potes de colo.
>
> **Vincent, 10 ans**

Colo découverte

Tu es peut-être un futur mordu de kayak ou de tir à l'arc mais dans ta ville, on ne peut pas pratiquer toutes les activités. C'est pour cela que des centres proposent des initiations à certains sports ou passe-temps. Quelques colos sont même spécialisées dans des domaines particuliers. La liste est très longue, mais voici quelques exemples de ce que tu pourrais bien essayer :

- La sculpture
- Le modelage
- L'escalade
- La plongée sous-marine
- La spéléologie
- L'équitation
- La voile
- L'astronomie (et la construction de fusées)
- L'initiation à la moto
- Les thèmes (vivre comme les indiens…)

> Je croyais que je ne pourrais pas m'adapter mais les monos sont tellement sympas. Ils te mettent à l'aise. Et puis ils sont jeunes. Ils nous comprennent vraiment bien.
>
> **Lucas, 11 ans**

Tu rêves d'aller en colo

Il existe différents moyens pour t'inscrire.

Grâce aux colos, j'ai découvert le cheval et le camping. C'est vraiment trop cool d'apprendre plein de choses de cette manière.

Fabien, 10 ans

⚽ **Pour trouver une colonie,** demande à tes parents de se renseigner auprès de la mairie. La plupart des villes organisent leurs camps pour les jeunes.

⚽ **Les entreprises** proposent aussi souvent des vacances pour les enfants de leurs employés. Là encore, tes parents peuvent trouver des informations.

⚽ **Tu peux également trouver des colonies privées sur Internet.** Voici 2 sites, tout à fait au hasard : www.capjuniors.com ou bien www.lescolos.com, il en existe beaucoup d'autres.

⚽ **Des colonies à thème** te sont aussi proposées. Va voir par exemple sur asso.objectif-sciences.com, mais ne t'arrête pas là, il en existe plein d'autres.

Tes parents devront vérifier que ces colonies ont reçu un agrément du ministère de la Jeunesse et des Sports, ce qui est un gage de qualité.
Au-delà de 13 ans, tu peux participer à des camps de préados. Les activités sont en fonction de ton âge et les moniteurs laissent un petit peu plus de liberté.

Ma mère, elle m'a glissé mon doudou dans ma valise sans que je le sache. J'avais honte quand je l'ai découvert là-bas. En fait, on était plein à en avoir un.

Loïc, 9 ans

Si tu as la possibilité de partir en colo, n'hésite surtout pas. C'est l'occasion de rencontrer des copains venus des 4 coins du pays. Tu pourras aussi pratiquer le sport, la musique, l'informatique, les langues... La première fois, tu peux toujours demander à y aller avec un copain, un cousin, un frère... c'est plus rassurant. Mais tu vas vite trouver ta place dans un nouveau groupe de potes pour de bonnes soirées autour d'un feu, en jeux de rôle ou encore en camping... sans oublier les boums ! La colo c'est la découverte des autres et de toi-même, ainsi que des très bons souvenirs garantis.

Virginie Audouin, monitrice de colo

203

En colo, tu serais plutôt...

Comédien, aventurier ou bricoleur ?

1. Pour le spectacle de fin de colo, ton rôle est de :

Ⓐ Réaliser les costumes en papier crépon.

Ⓑ Jouer le personnage principal de la pièce de théâtre.

Ⓒ Actionner les machineries du décor.

2. Que fais-tu avec du papier ?

Ⓑ Tu le fais disparaître devant un public stupéfait.

Ⓒ Tu démarres un feu de bois.

Ⓐ Tu réalises un pliage en forme de tyrannosaure.

3. Ta mère prépare ta valise. Elle y glisse :

Ⓐ Le livre *Copain du bricolage*.

Ⓒ Un couteau suisse et des pansements.

Ⓑ Ta guitare et tes partitions.

4. Tes copains t'apprécient parce que :

Ⓑ Tu les fais rire avec tes sketches.

Ⓒ Tu es toujours partant pour une expédition.

Ⓐ Tu es le roi du système D quand il s'agit de réparer.

5. Ton objet préféré est :

Ⓑ Un micro.

Ⓐ Une paire de ciseaux.

Ⓒ Une boussole.

+ de Ⓐ : bricoleur

Tu vas te régaler en colo car les activités manuelles y sont nombreuses. Tu découvriras tout ce qu'on peut fabriquer avec du bois, du carton, du tissu et encore bien d'autres matériaux. Les camps de vacances possèdent des ateliers très équipés pour te permettre de révéler tes talents de bricoleur.

+ de Ⓑ : comédien

Le roi du spectacle, c'est toi. 3 semaines de colo, c'est l'occasion de monter des représentations : sketches, pièces de théâtre, concerts… Tu adores organiser des shows ? Dans quelques années, tu pourras devenir mono à ton tour en passant le BAFA (brevet d'aptitude aux fonctions d'animateur).

+ de Ⓒ : aventurier

Il y a du « scout » dans cet esprit-là, cela ne fait aucun doute. Ton truc à toi, ce sont les expéditions, l'escalade, et pourquoi pas la plongée. Tu as bien raison, les colos sont faites pour ça : proposer tout ce que tu ne peux pas faire dans l'année.

Pour préparer ton sac à dos

Il faut penser à ne rien oublier pour partir en colo ou en camp de préados.
Bien sûr, maman risque fort de prendre les choses en main, mais c'est l'occasion
de lui rappeler que tu es grand en lui apportant de l'aide et des idées.

✴ Si tu veux te sentir bien dans tes « *shoes* » dès le premier jour, vérifie que les vêtements dans lesquels tu te sens bien soient dans ta valise.

✴ Dans les moments de calme, tu seras peut-être content d'avoir pris un livre.

✴ Incontournable : la casquette, protection contre les insolations, rempart contre la pluie, visière pour abriter tes yeux et look garanti. Pense aussi à la crème solaire écran total pour protéger ta peau.

✴ Maman veut que tu sois bien habillé pour ne pas lui faire honte ? Insiste pour emmener aussi des habits usés pour pouvoir t'éclater. Si tu les troues, tu ne te feras pas disputer.

✴ Évite ce qui peut attirer les convoitises : lecteur MP3, téléphone portable, PSP® ou autres consoles. Des activités, il y en aura plein pour t'occuper, pas de soucis !

✴ En gentil garçon que tu es, demande à ta mère de glisser une pochette contenant des timbres et de quoi lui écrire une lettre. Elle va adorer.

✴ Tu peux prévoir un peu d'argent de poche pour rapporter un souvenir, mais il n'est pas utile de vider ton compte en banque. 10 euros suffiront amplement.

✴ Avant de partir, achète-toi un appareil photo jetable pour les souvenirs !

✴ Emporte un cahier et transforme-le en carnet de voyage. Tu pourras y coller des photos, des billets de spectacle, de la doc et écrire les adresses de tes meilleurs copains le jour du retour.

Aimes-tu ta planète ?

*Tu te sens plutôt écolo,
pollueur ou pas concerné ?*

As-tu une majorité de **A**,
de **B** ou de **C** ?

1. Que fais-tu des piles usagées ?

B Tu fais des ricochets dans l'eau.

A Tu les rapportes au magasin pour
les recycler car elles sont polluantes.

C Tu as autre chose à penser que le sort des piles.

2. Les éoliennes :

A Fournissent de l'énergie renouvelable grâce
au vent.

B Sont moches, tu préfères les centrales nucléaires.

C Sont les habitantes de l'Éolie.

3. Le tri des ordures…

C Concerne ta mère uniquement.

A Permet de recycler les déchets.

B Fait perdre un max de temps pour rien.

4. Pour te laver les dents tu utilises :

B Un max d'eau, ce n'est pas cher.

C Ben, une brosse.

A Un minimum d'eau.

5. Erika :

A Est le nom d'un pétrolier échoué en Bretagne.

B Est un bateau coulé, pas de quoi en faire
une histoire.

C Qui c'est ? Elle est jolie ?

+ de **A** : écolo

Et presque militant. Tu es au courant
de toute l'actualité qui traite de
ta planète et tu n'hésites pas à faire
les efforts nécessaires pour que
les choses changent. Bravo !

+ de **B** : pollueur

Pas question de te demander
le moindre effort. La belle
bleue tu t'en moques et
tu continues même à la salir.
Tu devrais comprendre que
le monde est une chaîne.
Tout est lié, la nature, ce
qu'on mange, ce qu'on boit,
ce qu'on respire et nous.

+ de **C** : pas concerné

Tu as autre chose en tête pour
le moment. Mais tout de même,
c'est pas mal de s'intéresser
à notre planète. On y vit quand
même, autant que ce soit dans
de bonnes conditions.

Tiens ton journal

Écrire son journal est un moyen efficace de dire ce que l'on a sur le cœur et que l'on ne veut dire à personne : ça fait du bien ! C'est comme un bon médicament, mais c'est aussi un bon copain.

Ton journal, ton meilleur compagnon

Un ami qui ne répète jamais rien, en qui on a toute confiance, ça n'existe pas ? Mais si, ton journal justement. Tes parents, tes profs ou tes frères et sœurs t'énervent. Voici l'occasion de régler leur compte sans leur faire de mal. Vide ton sac et déverse ta colère. Tu peux aussi confier tes sentiments amoureux. Élisa te plaît beaucoup mais tu ne veux le dire à personne, logique. Ton cahier t'attend pour recevoir tes confessions secrètes.

Surtout, planque bien ton journal. Moi je n'aimerais pas que ma mère tombe dessus, parce que parfois je ne suis pas tendre. Mais ça me fait du bien.

Hervé, 14 ans

La méthode

En débutant, tu risques de ressentir le vertige de la feuille blanche. C'est intimidant une page vierge. Et puis on a l'impression que ce que l'on écrit est définitif. Mais tu peux toujours supprimer une idée (gommer, arracher, déchirer, tout est possible). Pour déjouer le vertige du départ, écris une phrase que tu viens de lire ou d'entendre, quel qu'en soit le sujet. Ensuite, enchaîne et marque tout ce qui te passe par la tête. Enfin, aborde le vrai sujet, celui que tu voulais coucher sur papier. À la fin, gomme les premières phrases qui ne veulent rien dire.

Le bestiaire

Voici une façon rigolote de te venger de ceux qui t'agacent. Le bestiaire est un texte où les personnages sont décrits comme des animaux. Un garçon de ta classe est un frimeur ? Dans ton cahier, peins-le sous les traits d'un coq. Choisis les adjectifs correspondants. Un autre est un gros balourd qui embête le monde ? Le profil du cochon lui ira très bien. Parle de son groin plutôt que de son nez, il n'a pas un ventre mais une panse, etc.

La lecture : lire et délires

Découvre comment jouer avec les mots.

Si tu lis des B.D., tu es déjà un lecteur, même si les livres sans images te repoussent encore un petit peu. Jusqu'à présent, ton prof de français attendait de toi que tu comprennes ce que veut dire l'auteur du texte. Je te propose de lire d'une autre façon : en t'amusant.

✿ **À partir de maintenant, les mots t'appartiennent**, fais ce que tu veux du texte : lis dans n'importe quel sens, change les mots, joue avec les sons. Tu peux, si tu as envie, commencer une phrase et finir sur une autre, comme dans l'exemple suivant :

Lire vient du latin *legere* qui signifie « cueillir ». Autant dire que dans le texte on peut cueillir les mots qu'on veut. D'ailleurs, dans cueillir il y a lir(e). Les auteurs surréalistes comme Aragon disaient : « La littérature c'est ce qu'on lit et qu'on rature ! » Alors fais-toi plaisir et joue avec tous les mots que tu rencontres.

Moi, j'adore regarder les magazines. Je déchire les pubs et je réécris des slogans plus drôles ou alors j'invente des noms de produits.

Mike, 13 ans

« Le cartable de Tom était toujours très lourd et sa mère le portait tout le temps. Mais aujourd'hui, il décida d'aller à l'école tout seul. »

Cette phrase devient alors :

« Le cartable de Tom décida d'aller à l'école tout seul. »
Tu viens de créer le début d'une histoire fantastique, à toi d'inventer la suite.

✿ **Un autre jeu consiste à ôter les consonnes** d'une phrase et à les remplacer par d'autres :

Le chat mange la souris.
_ e _ _ a _ _ a _ _ e _ a _ ou _ i _
Ce plat cache ta toupie.

✿ **Tu peux également prendre un dictionnaire** et une fable de La Fontaine. Remplace chaque nom du texte par le 5e nom qui suit dans le dictionnaire. Tu vas obtenir une histoire loufoque à la sonorité proche de la fable : *fou rire assuré !*

Découvre le monde des figurines

Bienvenue dans le domaine des nains, elfes, orques et gobelins.

Tu as certainement entendu parler des war games, les jeux de guerre. Il s'agit de batailles fantastiques. Plusieurs univers te sont proposés : *Warhammer, Warhammer 40 000* et même *Le Seigneur des anneaux*. Chacun de ces mondes te permet de choisir une armée : la horde du chaos, la Bretonnie, les hommes lézards, mais il en existe bien plus encore. Il ne te reste plus qu'à faire ton choix et à livrer bataille contre les armées de tes copains.

Les règles sont disponibles dans des magasins spécialisés « Game workshop » sous forme de fascicules, mais tu trouveras aussi des magazines en kiosque pour t'éclairer sur ces mondes délirants.

La peinture

Les spécialistes adorent comparer leurs figurines. C'est à qui peindra ses personnages de la façon la plus réaliste. Pas question de déborder, il faut t'appliquer. Voici quelques techniques :

D'abord, assemble ta figurine. Choisis ses membres et ses positions. Pour que ta peinture pour maquettes adhère, passe une sous-couche noire. Ensuite, applique les couleurs que tu souhaites pour l'éclaircir. Utilise la technique du brossage à sec. Ton pinceau trempé dans la peinture, essuie-le sur un chiffon puis frotte le restant sur la figurine. Le contraste entre ta couleur et le noir va créer un relief. Les socles des figurines sont larges. Colles-y de l'herbe synthétique, des champignons ou tout autre décor.

Les conversions

Transforme ces figurines en les coupant et en leur attribuant des armes ou des membres fabriqués par toi. On appelle cela les conversions. Tu peux, par exemple, prendre le buste d'un squelette et le faire sortir de terre.

À toi d'imaginer !

Je voudrais écrire une histoire

Découvre vite les astuces des écrivains.

Écris « au kilomètre »

Cette expression signifie que tu enchaînes les phrases sans te poser trop de questions. Le but recherché est juste d'obtenir du texte en quantité. Lorsque tu auras devant toi plusieurs pages, tu pourras passer à la deuxième phase : le montage de ton histoire.

Les outils

Les ustensiles du romancier ne sont pas ceux que l'on croit. Bien sûr, un ordinateur fait gagner un temps fou, mais un papier et un crayon donnent des résultats bien meilleurs. Il sera toujours temps de recopier ton travail sur traitement de texte.

Démarre sur une feuille. Prépare de la colle et des ciseaux, ce sont les vrais accessoires de l'écrivain, ils vont permettre de procéder au montage. Pourquoi bannir l'ordinateur ? Parce qu'avec lui, tu ne peux pas visualiser toutes les pages en même temps. En revanche, tu peux poser toutes les feuilles sur le sol, faire des découpages, des flèches, des ratures et des collages. En écrivant à la main, tu peux facilement déformer les mots. C'est une excellente façon de pallier un manque d'imagination. Ton héros regarde la Lune ? Remplace le L par un D et le voici qui regarde la dune. En changeant une lettre, tu viens de déplacer ton personnage dans le désert. Raconte la suite.

Le montage

Quand ton histoire est écrite, au kilomètre, elle a en général un début et une fin. C'est comme si tu avais laissé tourner une caméra sans la débrancher. C'est bien, mais pour accrocher ton lecteur, il faut du suspense et des indices.

Maintenant que tu connais toute l'histoire, tu peux poser des indices çà et là. Par exemple, si ton héros utilise une corde pour s'évader à la dixième page, retourne à la deuxième page pour raconter qu'il la met dans son sac à dos. Inversement, puisque tu connais le meurtrier de ton intrigue, pose de faux indices pour piéger ton lecteur. L'assassin est une femme ? Invente un témoin qui est persuadé d'avoir vu un homme. Plus tard, il admettra qu'il s'est trompé ou qu'il voulait protéger la femme ou toute autre chose. Tu vois, écrire c'est jouer avec le lecteur.

J'adore écrire. Je note tout le temps des idées dans un petit carnet que j'emmène partout avec moi. Ensuite, je relis mes notes et j'essaie d'inventer des petites histoires. Parfois, je les lis à mes potes et ils me donnent leur avis. C'est passionnant !

Guillaume, 12 ans

Avec Franck, mon meilleur pote, on est fans de science-fiction. On est même en train d'écrire notre propre roman. Pendant la semaine, on note des idées et on fait des croquis d'extraterrestres chacun de notre côté et le samedi, on se retrouve pour choisir les meilleurs morceaux.

Alexis, 13 ans

Je me suis inventé un personnage. Un écolier qui résout des enquêtes au collège et dans son club de sport. Je regarde certains dessins animés pour m'inspirer des intrigues.

Jérôme, 13 ans

Commence petit

Pour ne pas te décourager, débute par des histoires courtes d'un maximum de 5 pages. C'est ce que l'on appelle une nouvelle. Une petite histoire bien montée est préférable à un roman où l'on ne comprend rien.

Méfie-toi des écrans

La télé et les consoles, c'est top.
Mais est-ce bien raisonnable d'y rester scotché ?
Pas sûr.

Gare à l'écran total

Pourquoi passe-t-on tant de temps devant la télé ? D'abord parce que c'est un loisir pas cher. Souvent, les parents préfèrent te savoir devant l'écran plutôt que dehors. Enfin, quand tu ne sais pas quoi faire, elle t'occupe l'esprit.

Les dangers

Tout d'abord, tu peux regarder une émission et manger en même temps. La télé incite au grignotage de choses le plus souvent grasses et sucrées. En plus, quand tu passes du temps devant l'écran, même celui d'une console, tu ne pratiques aucune activité physique. C'est une des raisons de l'obésité dans les pays occidentaux.

Reste vigilant ! La télé nous prend trop souvent pour des ânes alors qu'elle aurait plutôt tendance à nous rendre bêtes. Choisis tes émissions ; il en existe des culturelles qui peuvent t'ouvrir l'esprit sans te barber. Discute avec tes parents des programmations à choisir ou lance des débats à table.

Et si on te trompait ? À la télé, tout n'est pas forcément vrai. Une chaîne doit d'abord gagner de l'argent, d'où les pubs. Conclusion, de là à tricher sur certains sujets pour faire de l'audience, il n'y a pas loin. Aussi, ne crois pas tout ce que tu vois ou entends. Pose des questions autour de toi. Tu peux aussi te documenter au CDI à propos d'un sujet qui te fait douter. Méfiance donc, car les images disent souvent ce qu'on veut qu'elles disent.

Question console, flinguer à tout va et conduire des bolides sans risque, d'accord. Mais il faudrait voir à ne pas oublier d'atterrir ensuite. Trop de temps sur la console peut t'enfermer dans un monde un peu trop virtuel et t'éloigner de la réalité. Tu sais aussi sûrement que les écrans peuvent déclencher des crises d'épilepsie. En clair, tu tombes dans les pommes, tu baves, tu fais pipi. C'est beurk ?

Pose un peu ta manette !

ZAP

Deviens un bon internaute

On trouve des informations par centaines sur Internet. Utilise au mieux cet outil, pose tes questions sur des forums, glane l'info sur les sites spécialisés mais ne te laisse pas aspirer par le surf durant des heures.

Les règles de la Toile

Naviguer sur la Toile c'est comme naviguer en mer, tu dois respecter des codes à la fois pour ta sécurité et par courtoisie pour les autres surfeurs.

Petit rappel des principes de sécurité :

1. Ne donne jamais d'info perso.

2. Tu veux ma photo ? Pas question, pas sur Internet.

3. Ne raconte pas ta vie quand tu tchattes.

4. N'achète rien tout seul sur Internet.

5. Surfe incognito. Donne un faux nom.

6. Refuse les rendez-vous et informe tes parents.

7. La petite blonde qui t'écrit s'appelle peut-être Léon. Sois méfiant.

8. Les mails pas très nets, c'est direct à la corbeille.

9. Zappe les images louches et parles-en à tes parents.

10. Ne télécharge pas n'importe quoi, les espions rôdent et les virus attaquent.

11. Réclame à tes parents un antivirus et un pare-feu (pour éviter l'espionnage).

12. Propose un logiciel de contrôle parental pour rassurer ton père et ta mère.

Tu te poses des questions sur ce que tu peux ou ne dois pas faire ? Surfe utile et rends-toi sur : www.droitdunet.fr Tu y trouveras toutes les réponses. Tu peux même inviter tes parents à y jeter un œil, des articles leur sont adressés.

Respecte les internautes

Maintenant que tu sais naviguer seul en toute sécurité, apprends à respecter les autres. Les forums obéissent à des règlements stricts. Tu n'as pas le droit d'y tenir des propos racistes, insultants ou incitant à la haine. Même chose sur ton blog ou ton site perso. Tu n'as d'ailleurs pas le droit d'y mettre la photo de qui tu veux. Et encore moins d'y déposer de la musique à télécharger.

Choisis ton sport

Tu aimes un sport plus que d'autres, mais pour lequel es-tu fait ?

◉ Les sports d'équipe

Football, hand ou basket ont un point commun : l'équipe. Pas question de jouer perso. Penser à marquer des points c'est bien, mais tu seras vite stoppé dans ta progression si tu ne comprends pas que les copains sont autour de toi. Ceux qui jouent au basket dans la rue ont tendance à ne travailler que le dribble et le panier. Mais le véritable basket passe par une observation du terrain et du jeu pour repérer les équipiers et feinter l'adversaire.

◉ Face à l'adversaire

Si tu veux la victoire, il va falloir aller la chercher, mais tout seul. Et le copain d'en face la veut aussi. Ton courage et ta force sont au fond de toi et tu es seul à pouvoir faire la différence. En tennis, boxe, karaté, saut à la perche, natation ou tir à l'arc, tu dois faire preuve d'une sacrée volonté en plus des qualités physiques. Car si tu es fatigué, le match se perd, contrairement aux sports d'équipe où les autres joueurs peuvent pallier ta baisse de régime. Sais-tu qu'en boxe amateur, par exemple, 80 % des combats se perdent par manque de condition physique ?

◉ Les sports de solitaire

L'adversaire c'est toi. Tu te bats tout seul pour réussir une performance. La partie de toi qui veut renoncer est ton ennemie. Dans ces activités physiques comme l'alpinisme, la varappe et la plupart des sports de l'extrême, tu dois montrer un caractère fort et une volonté d'acier. Le doute et l'envie de renoncer sont souvent présents dans les passages difficiles et seul un très bon moral peut t'aider à aller au bout du projet.

> Le surf, ça m'éclate. T'es tout seul sur ta planche dans des vagues de folie. T'es « vénère » quand tu prends le bouillon, mais tu remontes aussitôt. Plus tard, je passerai même dans des rouleaux. J'y arriverai !
>
> **Étienne, 14 ans**

⚙ L'équitation

Pour certains ce n'est pas un sport. Seul le cheval travaille. C'est ce que disent ceux qui n'ont jamais fait d'équitation. Trouver la position exacte pour faire corps avec l'animal demande un travail minutieux qui sollicite toute ta musculature.

Les qualités primordiales dans ce sport sont l'amour du cheval, mais surtout ta psychologie. Monter réclame de la finesse, du calme et de l'intelligence. Les erreurs viennent souvent du cavalier qui se fait mal comprendre, pas du cheval. Il faut savoir se remettre en question.

> J'ai commencé la boxe à 9 ans et j'ai fait mon premier assaut à 11. Je veux être champion plus tard. Et je suis sûr que je vais y arriver. Mon entraîneur, il dit que j'ai le mental parce que je baisse jamais les bras.
>
> **Mehdi, 13 ans**

⚙ L'aïkido, discipline à part

Voici un art martial différent du karaté, taekwondo, viet-vo-dao, judo ou autres. On n'y parle pas d'adversaire mais de partenaire qui travaille avec toi pour t'entraîner. Il n'y a pas de techniques d'attaque mais seulement de défense. Dans cette discipline, tu apprends à te protéger sans chercher à blesser. Pour autant, les saisies (de poignet par exemple) peuvent être redoutables. Elles ne sont pas violentes mais exécutées avec fermeté. Ce qui permet une réponse adaptée à l'agression. L'aïkido repose sur l'évitement et l'accompagnement d'une attaque pour retourner l'énergie de l'agresseur contre lui-même. Outre la souplesse requise, tu devras être calme et précis dans ta gestuelle. Tu apprendras l'art du positionnement, la notion de distance et le centrage du corps.

Quel que soit le sport, le fair-play est de mise.

> Ça fait 4 ans que je fais du foot avec les mêmes gars. On est carrément une famille, on se connaît par cœur. Pas besoin de se parler avant de se passer la balle, on devine tout. C'est pour ça qu'on gagne tous les matchs.
>
> **Luc, 14 ans**

Le sport sans argent

Tout ce que tu peux pratiquer sans un sou est ici.

Footing

Le footing consiste à courir pour améliorer sa condition physique, voire perdre un peu de poids. Même si ça paraît simple, il n'est pas toujours évident de se lancer dans cette pratique. Le plaisir de courir apparaît après plusieurs séances.

Comment démarrer ?

Réserve-toi 45 minutes d'activité. Cours gentiment 5 minutes et marche 10 minutes. Le tout, trois fois. À la prochaine séance, si tu t'en sens capable, inverse pour 10 minutes de course et 5 de marche. Ton corps va s'habituer à cet exercice et tu pourras bientôt courir 30 minutes, puis 45. Ne recherche pas la performance mais seulement le plaisir. Tu peux courir avec des copains ou avec un lecteur MP3 pour te motiver. Change souvent de parcours pour ne pas te lasser. Plus tard, tu pourras te lancer dans des accélérations pour travailler ta résistance. L'utilisation de tennis (runnings) qui possèdent un bon amorti et une bonne stabilité permettra d'éviter des ondes de choc dans le dos. Mais si tu ressens des douleurs, parles-en à ton médecin.

Moi, je fais des exercices tous les soirs avant d'aller au lit pour avoir des superabdos. Comme ça, au sport, je frime devant les filles quand j'enlève mon T-shirt.

Ibrahim, 13 ans

Étirements (stretching)

Avant l'effort pour mettre ta musculature en place, après pour éviter les crampes, le matin pour mieux te réveiller et le soir pour te détendre, l'étirement doit se réaliser en douceur. Cette pratique permet d'accroître la souplesse mais aussi de libérer les tensions dues au stress. Demande à ton prof d'EPS de te montrer des mouvements à chaque cours. Il t'expliquera comment s'étirer les bras, la nuque, le tronc, les jambes. Fais les exercices devant lui pour qu'il te corrige, ensuite, travaille chez toi.

Il est ouf ton père...

Renforcement musculaire

Il n'est pas question ici de musculation. Celle-ci fait appel à des machines et elle n'est pas recommandée à ton âge. Le renforcement nécessite ton poids de corps uniquement. De nombreux exercices – tu connais déjà les pompes – permettent de durcir durablement les muscles. Ton prof d'EPS te montrera également les positions à adopter pour muscler tes abdominaux, tes triceps ou ton cou. Regarde bien ce qu'il te montre car, pour chaque position, ton dos doit être idéalement placé.

Tous les dimanches, mon oncle passe me prendre et on part faire un footing dans le bois. On court sans se fatiguer et ensuite on fait des abdos. C'est à ce moment-là que je meurs, c'est trop dur.

Régis, 13 ans et demi

Parcours santé

De nombreuses villes ont mis en place des parcours de footing balisés de panneaux et certains sont installés dans les bois. Des pancartes te demandent d'effectuer des tractions, des pompes ou autres exercices physiques. Tu trouveras aussi des cordes à nœuds, des barres parallèles, des murs de corde à grimper, des haies à sauter… Si tu as la chance d'avoir un parcours près de chez toi, n'hésite pas à t'y rendre avec les copains. La rigolade en gardant la forme, c'est top ! Tu peux également demander à ton père de courir avec toi. Une activité pour vous deux, entre hommes, c'est plutôt chouette.

Les Maghrébins, ils sont superbons en course à pied. Moi, j'aimerais bien gagner un marathon. Alors je m'entraîne tout seul, je cours tout le temps.

Karim, 12 ans

Je veux être footballeur pro

Ça peut se comprendre, quel bonheur de gagner sa vie grâce au métier qu'on aime ! Mais dis-toi qu'il est difficile de faire son trou dans les professions liées au sport, à la chanson ou aux arts en général. Tout est possible, bien sûr, mais tu dois connaître les difficultés et les risques avant de te lancer dans l'aventure.

Tu n'es pas seul à avoir ce rêve et le nombre de places est réduit. Conclusion : va falloir être le meilleur. Tu as beau être très sympa et plein de bonne volonté, ce sont tes performances qui vont être jugées. La sélection dans le sport est sévère. Il ne suffit pas d'avoir du talent pour dribbler les copains dans la cour, tu dois surtout présenter un gros potentiel physique, une résistance à l'effort, une ossature solide et une musculature pas trop fragile. À ce stade, on parle de génétique. Tous les sportifs ne sont pas égaux. Malgré ton travail, un copain au physique résistant peut te passer devant. La technique est perfectible, pas le capital génétique.

La sélection ne s'arrête pas là. Pour être champion tu dois aussi avoir le mental qu'il faut. Les entraînements vont s'intensifier à mesure que tu passeras des niveaux. Pas question de craquer sous la pression, de renoncer face à la défaite ou de baisser les bras devant l'effort. Le foot, c'est cool, mais ça n'exclut pas les entraînements difficiles, l'hiver, le soir. Il faudra accepter les mauvais côtés.

Te voici prévenu et je te sens toujours motivé. C'est parfait. Il te reste encore une chose à connaître : l'éventualité de l'accident de parcours. Une blessure peut mettre fin à une belle carrière. Pour un Zidane champion du monde, beaucoup sont restés dans l'ombre pour cause de blessure. Sois conscient de cette triste possibilité et prépare-toi un avenir de rechange, un métier différent au cas où… D'ailleurs, dans le sport, le vrai champion c'est celui qui sait entrevoir toutes les possibilités d'une situation.

Quel métier te ressemble?

Selon que tu aimes les gens,
adores la nature, ou les machines,
plusieurs possibilités s'offrent à toi.

As-tu une majorité de Ⓐ, de Ⓑ ou de Ⓒ ?

1. Ton petit frère rate son virage en tricycle...

Ⓐ Le temps de prendre des pansements
et tu voles à son secours.

Ⓑ Tu vérifies qu'il n'a pas écrasé un escargot.

Ⓒ Tu te jettes sur le vélo pour le réparer.

2. Quand tu fais de la peinture, tu préfères dessiner...

Ⓑ Des souris et des canards genre Walt Disney.

Ⓒ La mécanique d'une montre à système
énergétique spatiotemporel.

Ⓐ Des personnes tout partout.

3. Pour gagner un peu d'argent...

Ⓒ Tu trafiques les rollers pour en faire des skates.

Ⓑ Tu ramasses les papiers gras dans la résidence.

Ⓐ Tu portes les courses des mamies.

4. Dans tes rêves les plus fous...

Ⓐ Tu découvres un vaccin qui soigne
1 milliard de personnes.

Ⓒ Tu construis une fusée qui fait le tour
du monde en 30 minutes.

Ⓑ Tu bouches le trou dans la couche d'ozone.

5. Ton animal préféré...

Ⓐ Aucun, toi tu aimes les hommes avant tout.

Ⓑ Tous sans exception, même les serpents.

Ⓒ Nabaztag le lapin.

+ de Ⓐ: tu aimes les gens

Les métiers du social et de la santé sont faits pour toi. Tu es tourné vers les autres. À toi la carrière de médecin si tu es bon en sciences. Pompier, sauveteur, assistant social, infirmier te conviennent.

+ de Ⓑ: tu aimes les animaux et ta planète

Beaucoup de carrières s'ouvrent à toi : vétérinaire, garde-chasse, ingénieur agronome. Tu n'as que l'embarras du choix. L'essentiel : te sentir utile à ta planète.

+ de Ⓒ: ton truc c'est la technique

Concevoir, réparer, fabriquer ou démonter, tu aimes la mécanique. Pourquoi ne pas te diriger vers l'aéronautique, l'espace, les métiers de l'image ou de l'automobile ?

Comment choisir ton métier ?

Tu as encore un peu de temps devant toi mais tout de même,
tu vas pouvoir commencer à te faire une idée de ta future carrière.
Les différents tests de ce livre ont pu t'aider à te connaître.
Voici, en résumé, des profils parmi lesquels tu te retrouveras.

Tu es plutôt :

★ Ambitieux   ★ Communicatif
★ Rêveur   ★ Solitaire
★ Débrouillard   ★ Méthodique
★ Maniaque   ★ Timide
★ Patient   ★ Serviable
★ Appliqué   ★ Attentionné

Tes centres d'intérêt sont :

❀ La musique
❀ La lecture
❀ Le bricolage
❀ La nature
❀ Le sport
❀ La création
❀ La fabrication
❀ La technique
❀ Les animaux
❀ La mécanique
❀ L'informatique
❀ Le dessin
❀ Les voyages
❀ L'image
❀ L'audiovisuel

À l'adolescence,
je ne supportais pas l'injustice.
Comme j'aimais l'action et l'aventure,
plus tard, je me suis tourné vers le GIGN.
Les hommes du groupe symbolisaient tout ce dont
je rêvais : sport, risque, droiture et amitié forte.
J'ai travaillé dur pour intégrer cette « bande de
potes » soudés face à la criminalité ou au grand
banditisme. Plus tard, j'ai participé à des centaines
d'arrestations et d'opérations dangereuses comme le
détournement du vol Air France Paris/Alger en 1994.
Si tu veux vraiment exercer un métier,
donne-toi les moyens, crois en tes rêves
et tu y arriveras.

Jean-Luc Espla, ancien opérationnel du GIGN
(Groupe d'intervention de
la gendarmerie nationale)

Tu voudrais faire des études :

* 🌟 Courtes
* 🌟 Moyennes
* 🌟 Longues
* 🌟 À l'étranger

Actuellement, tu :

* ✳ Aimes travailler seul
* ✳ Repousses tes devoirs
* ✳ Apprends régulièrement tes leçons
* ✳ Aimes parler en public
* ✳ Adores les exposés
* ✳ Aimes les recherches à plusieurs
* ✳ Aimes la compétition
* ✳ Détestes les interros et les concours
* ✳ N'aimes pas les profs

Choisis une réponse ou plus par catégorie
Assemble-les et recherche le métier qui convient au profil. Par exemple, si tu as choisi :

1. Les animaux, solitaire, études moyennes et aimes travailler seul, tu peux penser devenir garde-chasse, reporter animalier, etc.

2. La fabrication, méthodique, études longues et aimes la recherche à plusieurs, tu peux te diriger vers des études d'ingénieur ou de concepteur automobile.

3. Le dessin, rêveur, études courtes, aimes travailler seul, tu seras peut-être illustrateur indépendant ou graphiste.

Après avoir fait tes choix, si tu ne trouves pas de métier, présente-toi à ta conseillère ou ton conseiller d'orientation qui, en fonction de ton profil, te proposera des métiers.
Tu peux également retirer au CDI des brochures de l'Onisep (Office national d'information sur les enseignements et les professions).

Index

Adresses utiles

Orientation au collège
• ONISEP, 1, villa Pyrénées, 75020 Paris.
www.onisep.fr

Maltraitance, violence
• Allô enfance maltraitée : 119
• Jeunes violence écoute : 0 800 20 22 23
• Enfance et partage : 0 800 05 12 34
• SOS Amitié : 01 42 96 26 26

Violence à l'école :
• Ministère de l'Éducation nationale,
de l'Enseignement supérieur et de la Recherche,
110, rue de Grenelle, 75357 Paris SP 07.
www.education.gouv.fr/prevention/violence/
default.htm

Santé
• Tabac info service : 0 825 309 310
• Planning familial : Confédération nationale
du MFPF, 4, square Saint-Irénée, 75011 Paris.
www.planning-familial.org
• INPES (Institut national de Prévention
et d'Éducation pour la Santé),
42, bd de la Libération, 93203 Saint-Denis Cedex.
• Sida info service : AIDES, Siège national
Tour Essor, 14, rue Scandicci, 93500 Pantin.
www.sida-info-service.org

Sport
• INJEP (Institut national de la jeunesse
et de l'éducation populaire), 11, rue Paul-Leplat,
78160 Marly-le-Roi. Tél. : 01 39 17 27 27

Droits de l'enfant
• Défenseur des enfants,
104, bd Auguste-Blanqui, 75013 Paris.
www.defenseurdesenfants.fr
• Unicef, 3, rue Dugay-Trouin, 75006 Paris.
Tél. : 01 44 39 77 77 ou la section
« la voix des jeunes » de leur site :
www.unicef.org/voy/french/index.php

Internet
• www.droitdunet.fr, espace junior
• CNIL (Commission nationale de l'informatique
et des libertés) : www.cnil.fr, espace juniors

Solidarité
• Envie d'agir : 01 40 77 55 00
www.enviedagir.fr
• Réseau national des juniors associations,
3, rue Récamier, 75007 Paris.
Tél. : 01 43 58 98 70
www.juniorassociation.org

Environnement, nature
• CPN (Connaître et protéger la nature),
la maison des CPN, 08240 Boult-aux-Bois.
Tél. : 03 24 30 21 90 ou www.fcpn.org
• WWF (Fonds mondial pour la nature),
1, Carrefour de Longchamps, 75116 Paris.
Tél. : 01 55 25 84 84
• SPA (Société protectrice des animaux),
39, bd Berthier, 75017 Paris.
Tél. : 01 43 80 40 66 ou www.spa.asso.fr
(clique dans jeunes)

Nos équipes ont vérifié le contenu des sites Internet mentionnés dans cet ouvrage
au moment de sa réalisation et ne pourront pas être tenues pour responsables
des changements de contenu intervenant après la parution du livre.

Remerciements

Jean-Charles MARTIN, dermatologue
Urbain CALVET, spécialiste du sommeil des enfants
Guy THÉPAUT, psychologue
Sylvie COMPANYO, psychologue, École des parents de Toulouse
Ghislaine KERVEILLANT, professeur de français
Christelle BRAILLY, psychologue clinicienne
Virginie AUDOUIN, responsable de centres de loisirs
Jean-Luc ESPLA, ancien membre du GIGN

L'auteur remercie chaleureusement tous les experts pour avoir apporté à ce guide leur concours et leurs connaissances, sans lesquels Robopote n'eût pas été si pertinent et – nous l'espérons humblement – utile au jeune lecteur. Remerciements particuliers à Jean-Luc Espla et Jean-Charles Martin dont l'amitié m'a aidé autant que leur savoir. Un grand merci à madame Ghislaine Kerveillant et à ses élèves pour leur spontanéité et leurs bonnes remarques. Merci enfin à toute l'équipe, illustrateurs (trice), maquettistes et éditeurs qui ont donné forme, vie et couleurs à cet ouvrage.

Coordination éditoriale : Céline Potard
Maquette : Karine Benoit